# Meas air Chrannaibh

Air fhoillseachadh ann an 2007 le Acair Earranta,
7 Sràid Sheumais, Steòrnabhagh, Eilean Leòdhais.
info@acairbooks.com
www.acairbooks.com

An dealbh-còmhdaich Liondsaidh Chaimbeul

Deilbhte às leth Acair le Joan MacRae
Clò-bhuailte le Gomer Press, Llandysul, A' Chuimrigh

Chuidich Comhairle nan Leabhraichean am foillsichear
le cosgaisean an leabhair seo.

Tha Acair a' faighinn taic bho Bhòrd na Gàidhlig.

LAGE/ISBN
10 digit:  0 86152 330 X
13 digit: 9780861523306

# Meas air Chrannaibh
# Fruit on Brainches
# Fruit on Branches

Aonghas Pàdraig Caimbeul

# Ro-ràdh

'S ann tro mheadhan a chuid sgeulachd as cleachdte a tha sinn o chionn ghreis air sealladh fhaighinn air saoghail chruthaichte Aonghais Phàdraig - faicsinneach agus neo-fhaicsinneach! Tha na dàin a tha an seo a-nise cruinn còmhla a' toirt uinneag eile dhuinn tro 'm faigh sinn sealladh orra - air an riochdachadh chan ann tro mheadhan rosg na sgeulachd ach an cainnt a tha fo impidh na bàrdachd an cruth agus an dealbh. Tha seo a' toirt cothrom dhuinn ath-sgrùdadh a dhèanamh agus ath-thuigsinn, gu sònraichte air na h-ionadan air a bheil iad le chèile a' toirt iomradh. Oir, ged tha fhios nach e am meadhan an teachdaireachd gu h-iomlan, tha e soilleir gu bheil sinne nar breathnachadh air an teachdaireachd gu mòr an comain a' mheadhain anns a bheil i air a lìbhrigeadh. Ach a bharrachd air a' cheangal inntinneach sin, tha iomadh adhbhar ann gus fàilte a chur air an leabhar sa: tha na dàin cuimseach agus annasach, saidhbhir an cainnt agus an dealbhadh. Is math as airidh iad air am mion-leughadh.

Tha iad a' gnàthachadh chùisean a tha deatamach agus èiseil ann a bhith tighinn beò ann an saoghal nan Gàidheal (agus a cho-shuidheachadh) nar latha: beachdachadh air cultar, dùthchas is dualchas agus aitheantas, air creideamh 's air cràbhadh, air giùlan agus air cothrom air cur-an-gnìomh. Tha susbaint a' bheachdachaidh, saoilidh mi,

# Ro-ràdh

stèidhichte air bunait fiosrachaidh - aithne air iathadh math
dhe na raointean agus dhe na cùiltean a gheibhear anns an
t-saoghal infhillte sin. Tha mìneachadh agus dealbhadh
againn air an fhiosrachadh sin ann an caochladh riochdan:
na adhbhar connspaid is dìmeas is sàrachaidh aig amannan,
agus cuideachd na adhbhar buidheachais agus sòlais. Tha
na beachdan a tha air an cur an cèill làidir agus coileanta.
Tha dual rag de rùn moralta air fhilleadh annta - mar a tha
a' chainnt anns a bheil iad air an riochdachadh a' dèanamh
soilleir. Tha gnàthachadh anns na dàin cuideachd air
cuspairean as dlùithe 's as pearsanta, fiosrachadh air gràdh,
is aoibhneas, air gonadh is ciont, is slànachadh, 's air gràs.

Tha guth a bhàird a' cur an cèill faireachadh nua-ghnàthach.
Tha e a' faicinn an t-saoghail bho shealladh co-aimsireil ach,
aig an aon àm, tha mothachadh aige air do-sheachantas na
h-eachdraidh agus air a buaidh, Tha seo follaiseach ann an
cainnt nan dàn, far an cluinn sinn ath-sgal làidir de ghuth na
bàrdachd ghnàthasaich an lùib na nua-chainnt. Chì sinn an
aon rud an cruth na bàrdachd, far a bheil measgachadh
againn de riochdan traidiseanta agus de nuadhas, stèidhte
air modhan eugsamhail. Tha dàin ann anns a bheil an
comhardadh agus an ruitheam a tha gnàthasach am
bàrdachd na Gàidhlig againn gu coileanta, agus feadhainn
anns a bheil na h-inneil sin air an cleachdadh mar dhòigh

air earrannan a thogail os cionn ruith chumanta na cainnte, gan neartachach no a' cur rìomhadh orra. Tha am measgachadh sin mar as trice gu math èifeachdach, agus a' seachnadh a' chunnairt a tha ann am briseadh air dùil an leughadair (is gu sònraichte an neach-èisteachd) is structar gnàthasach na bàrdachd Ghàidhlig cho fìor làidir nar cinn.

Tha a' bhàrdachd anns a' chumantas beothail agus so-thuigse, gun a bhith ro chasta, toinnte san lìbhrigeadh (ged nach eil na cuspairean uile sìmplidh!). Tha caochladh de dh'inneil reatraigeach, mar eisimpleir ceum-leasachadh, mar as trice an riochd liosta, air an cur an sàs gus cur ri teinne faireachaidh no ri so-labhradh. Tha seo a' cur spuinnse dhramadach an cuid dhe na dàin - gu ruige an dèanamh nan sgrìobhainnean a' guidhe air neach-riochdachaidh, no, air a char as lugha, ag iarraidh an leughadh os-àird.

Ma tha neach cho beannaichte 's gu bheil gach cuid Gàidhlig agus Beurla aige, agus gu bheil ùidh aige ann an eadar-theangachadh, chanainn gun còrdadh an t-eadar-theangachadh a tha an seo gu math ris. Tha e, anns a' chumantas, cuimseach agus ealanta … Ach 's ann anns na dàin fhèin a tha an t-ionmhas.

Domhnall MacAmhlaigh

# Clàr

# Uinneag

Bha an uinneag glaiste le còig glasan
ach on a bha solas gu leòr a' dòrtadh

tro na lòsain eile
cha do bhodraig mi riamh
na bùird is tàirnean air an tè ud
fhuasgladh

gus an là ud
a leugh mi mar a labhair Pàdraig ri na h-eòin,

's a' fàgail an ùird-ladhraich far an robh e,
deiseil,

lorg mi iteag ann an dìg (druid bheag a bhuail càr)

's le aon shuathadh
chrìon an uinneag às a chèile,
am fiodh cruaidh na dhuslach sgaoilte,
na glasan a' ceilearadh le saorsa.

# An t-Eilean

Leugh mi uair rud iongantach:
gur e ficsean a th' ann an grabhataidh,
mar an sgeulachd ud eile
mu Mhac Righ Èireann
's mar a phòs e, mu dheireadh thall, a' mhaighdeann.

Bha Eilean ann cuideachd
air an robh Craobh-Aibideil a' fàs,
ach aon bhliadhna
thàinig fear le tuagh
's leag e a' chraobh gu talamh
le aon bhuille,
's a dh'aindeoin gach oidhirp is earraich
cha do chinn i gu bràth tuilleadh,

's ged a laigh mise, cleas Newton,
ùine gun tomhas fon chraoibh,
cha do thuit ubhal milis na Gàidhlig,
fiù 's le grabhataidh,
air bathais mo chlaiginn.

Dh'fhosgail mi mo shùilean
's bha i an sin fhathast air a' chraoibh,
mar gun robh grabhataidh air a dhol bun-os-cionn,
Eubha air a dhol na maighdeann,
agus mise Mac an Rìgh.

# Mac-talla nam Briathran

Tha a' chuimhne air a dhol air adhart
's i na seasamh aig crois an rathaid
le brèid geal na bainnse mu ceann.

Tha i air a' mhonadh a' sireadh a' chruidh,
tha i air a' mhachaire gun speal,
tha i dol gu tuath air a' mhotair-baidhsagal a thuit.

Mar fhaileas na grèine,
tha i a' sìneadh romham.

Mar mhac-talla nan creag
tha i gam ghairm.

Air adhart chaidh i,
mar cheum nam mìltean,
mar ro-shealladh, mar ro-labhairt
gus am biodh fhios a'm,
aig crois an rathaid,

an taobh a ghabh i.

# Iuchair is Doras is Taigh

1.
Seo iuchair an dorais.

Chan eil an doras glaiste idir,
ged nach fhaigh thu troimhe gun iuchair.

Tha thu a gabhail na h-iuchrach nad làimh,
ach feumaidh tu creidsinn gum fosgail i gach doras.

Na caill an iuchair,
oir ma chailleas bidh thu glaist' a-muigh.

2.
Tha thu gnogadh air an doras.

Tha e fosgladh.

Tha e dùnadh os do dhèidh.

3.
A-staigh,
tha tòrr ionmhais anns an taigh:
seann òrain agus nuadh-bhàrdachd.

Tha na dàin cheana
uile air an sgrìobhadh: 's e d' obair-sa
an leabhar led ainm fhèin a lorg air na sgeilpichean
agus na dàin a tha na bhroinn a leughadh.

Chan urrainn dhut
an leughadh gus an sgrìobh thu iad.

Tha gob air an iuchair,
le inc dearg a' dòrtadh às.

Siuthad.

Sgrìobh.

# A' Cruinneachadh

Bha mi muigh air an t-sliabh
a' cruinneachadh na mònadh: lìon
mi poca.

Bha mi air a' chladach
a' cruinneachadh feamainn: lìon
mi bara.

Bha mi aig muir: lìon
mi cliabh.

Lìon mi mo cheann le foghlam,
mar a lìon na trainnsichean le cuirp.

Agus seo mi a-nis le criathar
ga shìoladh, moll is cruithneachd.

# Am Baile

Tha barrachd air tobhtaichean an seo,
ged nach eil mart no manach san àite.

Tha an gàrradh-crìch na sheasamh
làidir daingeann

mar gun robh mo sheanair fhathast beò
's feum air sgaradh a dhèanamh eadar bò

is tarbh, ged a tha Bill Gates a-nis na Bhàillidh
's ged a bhuineas an saoghal dhuinn uile, mas fhìor,

's uachdranas againn - tro chairt-creideis - air
gach cruit is oighreachd air an laigh ar sùil.

Mar Leadaidh Cathcart dot com,
gach oidhche thuiteas mi nam chadal
tha na caoraich bhàna -
Doilidhean na Gàidhealtachd -
a' mèilich air an fhaiche,
peatachan gun fheum, mar bheathaichean a chaill an gnè.

Tha coltas baile air a' bhaile seo,
dìreach mar a tha coltas duine orm fhìn.

# A' Buain na Mara

Tha am poll-mònadh air a dhol na chuan,
's gach spaid is treidhsgeir a' dol fodha
fo mo chasan.

Chan eil oir na spaide,
a dh'aindeoin faobhrachadh fada an earraich,
a' greimeachadh air càil ach buigead is neonitheachd.

Tha an t-iarann
a' plubartaich gun bhonn, gun sgoinn,
sop a' suathadh na mara.

An e *virtual reality* a bha riamh ann,
's am fàd a' dol fodha,
mar luaithre anns an aiseid?

O, nach b' fhèarr iarann ri fraoch is riasg
seach rùsgadh na fairge mar amadan gun dòchas,
a' sìor bhuain na mara a tha sileadh eadar m' òrdaig?

Tha mi a' bàthadh an seo 's mi feuchainn nam èiginn
ri Gàidhlig a bhuain
à cuan mòr na Beurla.

# Na Sgrìoban Ùra

*"We write to gain the sanction of our forefathers"*: Czeslaw Milosz

O chionn 's gun robh an dùthaich coimheach,
cha do mhothaich mi an toiseach
gur e treabhadh is cur is buain
a bha romham: cha robh sgeul
air each no Gàidheal no tractar,
mar a b' aithne dhòmhsa co-dhiù,
's a h-uile rud cho fuar glan fuadan -
a' brùthadh putan 's a' dol *click*
le clogaid mu do chluasan 's grunn
rudan co-amail mu do choinneamh,
eadar dealbh is fiosrachadh is fuaim

gus 'n do chuimhnich mi

gur ann mar sin cuideachd a bha e sna seann làithean,
nuair a dh'fhalbhadh tu le each
a' sitrich air do bheulaibh
le chasan mòra a' plumadaich sa pholl,
's na cruipean 's na guailleachain 's na sèineachan-tarraing
a' glagadaich 's a' glogadaich

's an anail
ag èirigh ciùin sa chamhanaich,
's an coltair a' sìneadh na gainmhich deas is tuath,
's tu fhèin a' dol an ear 's an iar,
an ear 's an iar, an ear 's an iar,
le ubhal a chruachainnean a' snàmh mud choinneamh
gus an do stad thu

mu dheireadh thall, aig ceann a deas na pàirce,
a' coimhead air ais air ùir is talamh is gainmheach is
    machair,

ach romhad air na sgrìoban nach tàinig
às am fàsadh biadh: mar gun robh e cho sìmplidh sin,
gum fàsadh tu buntàta no coirce no eòrna
gun eachdraidh no gun dòchas no gun bàs a bhuain,
mar a tha mise a' cur 's a' buain an-diugh
air a' choimpiutair seo,
a' treabhadh machaire eadar-nàiseanta
gu dìcheallach, mar m' athair,
eadar cuimhne is cruthachadh.

# An Rathad gu Nèamh

Anns an dealbh,
tha m' athair nas òige na mi fhìn.
Muir ghorm air ar cùlaibh,
feur mìn (tha cuimhn' a'm) fo ar casan,
a làmh-san timcheall mo ghuailnean
's gun for againn nach maireadh sìon ach seo.

Latha Cèitein a bh' ann,
oir fhathast cluinnidh mi a' chuthag
gar tàladh a-steach dhan gheamhradh
a thàinig cho clis mar gun do bhuail
putan a' chamara 's gun do reoth tìm
dhàsan 's dhòmhsa nis an t-astar
eadar aois is òige a' giorrachadh air an taobh thall
's a làmh-san fhathast a' còmhdachadh mo ghuailnean,
gam leigeil às, ach le grèim cho teann.

# Gràdh Geal Mo Chrìdh'

Tha freasdal is fortan nam chrò,
nach àraidh mo shealbh an-dràst',
is tusa nad laighe rim thaobh,
mar bheatha ri taobh a' bhàis;
grian a' soillseadh na h-oidhch',
cluaran a' deàrrsadh mar ròs,
an nimh air a tharraing bhon ubhal,
an clàbar air tionndadh gu òr.

'S tusa thug dhòmhsa ciall,
's tusa thug dhòmhsa àit',
's tusa thug dhòmhsa rian,
is acair is caladh dham bhàt';
tha thu mar chanach an t-slèibh,
mar ghini nam bàrd nam phòc,
tha thu mar eun air ghleus,
gun mheang, gun choire, gun ghò.

Cha b' urrainn dhomh smaointinn an-dràst'
ciamar a bhithinn gun thu,
mar long air chall ann an stoirm,
mar eathar dol fodha gu grunnd;
mar leanabh gun mhàthair, gun iùl,
mar thràill gun dòchas, gun dùil -
a m' eudail, is tusa mo stiùir,
mo sheòl, mo chaladh, mo shaogh'l.

Nach truagh an staid sam biodh mi
nan siùbhladh tu bhuam, a ghràidh:
bhristeadh mo shlàint is mo chrìdh'
le deireadh mo sholais 's mo là;
bhiodh madainn mar dhubhadh na h-oidhch',
bhiodh gàire mar magadh a' bhàis,
bhiodh m' eathar air sgeirean na gaoir,
crìoch cheacharr' air saoghal nan dàn.

Ach fhad 's a mhaireas mi beò,
seinnidh mi àrd do chliù:
snaighidh mi sìos ann an rann
bunait do ghràidh 's do ghaoil:
lean thus' an Sgiobair air bòrd,
chrom thu aig Carraig na Glòir,
ghabh thu ri Crìosda mar Dhia,
's mar thiodhlac thàinig an còrr.

# Mac 'Ic Alasdair

An seo ann an Slèite -
aig fìor chridhe ath-nuadhachadh na Gàidhlig -
tha iad air an donas duin' ud a chur suas air a' bhalla
na làn-fhèileadh:
an Còirneal Alastair Ranaldson MacDonell, 15th Chief of
    Glengarry
- am fear a sgrios Clann Dòmhnaill.

Am fear a rinn gealach de Chnòideart.

Am fear a rinn Gleann Nibheis na fhàsach.

'S ri thaobh,
fo ghlainne a' bhreitheanais,
tha an t-inneal airgeadach a bhiodh a chuid bhèibidhean
a' greimeachadh nuair bhiodh na fiaclan a' tighinn
fhad 's a bha Clann Aonghais
a' cagnadh shligean air cladach Loch Shubhairne.
Chaidh an dealbh a pheantadh anns an Ròimh,

agus e fhèin air a' *Ghrand Tour*,
air ais taobh Versailles, 's a-nis gu seo,
gun ghearsom, gun mhàl, gun mhòd.

Alasdair à Gleanna Garadh,
thug thu an-diugh gal air mo shùilean.

# Faclan

An àm Blàthachadh na Cruinne,
faclan a' leaghadh.
Tuiltean dhiubh a' dòrtadh

às na speuran, an Cuan Siar
a' beucaich, an dà Artaig mhòr
dol bog rùisgte.
Cha tug sinn urram dhan fhacal

's leagh e air ar beulaibh: thug
sinn dheth bonaid na bàrdachd is
còta nan òran, 's mu dheireadh
thall sheas e an sin air ar beulaibh,
a cheann chrom, na dhrathais.

'S ann oirnn fhìn a bha an nàire.

Mhothaich sinn an uair sin cho blàth 's a bha i,
dìreach mus deach ar bàthadh.

'S fhad 's a bha sinn a' dol fodha
chuir sinn air clàr: Joni Mitchell
le *Chelsea Morning*, 's thug ise
cuideachd, dìreach mar an tè eile,
gal air ar shùilean.

# Sìthichean

Bha Freud is Auschwitz
ann an cnoc na h-oidhche
's chan eil coltas rim linn-sa
gun do sgaoil an solas iad

le na teacsan dealantach
a' sgaoileadh nan sgeulachdan ùra
gur e Osama bin Laden a thug
ar saorsa air falbh, mar an deamhan.

# Tòimhseachain

Chaidh na rannan beaga
nan tòimhseachain an àiteigin
air an t-slighe.

An àiteigin eadar
an sgoil agus mo sheann aois
chaidh a' chearc air chall:
tog, tog, tog, tog,
tog an rud a dh' fhàg mi,

ach nuair choimhead mi air mo chùl
bha na faclan nan spealgan
mar ugh air a chreachadh:
togaidh leanabh beag na dhòrn e,
's cha tog dà dhuine dheug le ròp e.

Tha na tòimhseachain a' sìor leudachadh:
ghabh iad thairis cuimhne is dòchas,
shluig iad am baile is faileas a' bhaile
(a' Bheurla agus an TV)
mar a' mhuc-mhara a shluig Iònah:
rugadh i gun anam,
bhàsaich i gun anam,
is bha anam innte.

# Còdaichean

Cho faisg 's a tha mi air còd ùr:
còd na h-aoise.

Tha an còrr dhe na còdaichean
snaidhmnichte mum thimcheall
mar shnàthlainn cait: m' òige
mum chasan, 's an còd ùr ud
a fhuair mi anns an oilthigh
teann mum cheann, 's mo chridhe
sgaoileadh le còd Chriosd,

's an fheadhainn ud eile
nach fuasgail mi a-chaoidh:
cho maireannach 's a tha Uibhist
a dh'aindeoin 's gun do sgàin an saoghal
(no air sgàth 's … )

'S a-nis an tòimhseachan ùr seo air fàire:
cairt-phlastaig son siubhal an-asgaidh,
an òigridh a' coimhead orm mar bhodach,
an crìonadh a-steach mar phàist'.

O Thighearna, thoir dhomh neart do chòd:
gum biodh e, a dh'aindeoin an ro-thomhais,
cho mìorbhaileach ris a' chòrr.

# Ceàrd na Bàrdachd Gàidhlig

A' dìreadh a' bhealaich,
a' gliogadaich 's a' glagadaich,
mo phoitean 's mo phanaichean,
mo bhiorain 's mo phrìnean,
mo theanta canabhais
mum ghuailnean

's làn fhios a'm g'eil mi air chall
ann an tìm
a dh'fhalbh

gun duine beò ag iarraidh mo chuid
trealaich,
mo chiofainnean,
mo luideagan
dathach staoin
a nì feum dhut
dìreach ann am fìor staing
nuair bhristeas an dealan sìos 's a dh'fheumas tu poit a
     chur air an teine
no
nuair a bhristeas an t-inneal-nigheadaireachd 's an
     tiormadair
's feumaidh tu na drathaisean a chrochadh air craoibh
no nuair a tha an saoghal a' tuiteam buileach glan às a
     chèile le na Twin Towers
agus fàisgidh tu an *Lucky White Heather* a thug mi dhut
     co-dhiù
saor an-asgaidh

mar thiodhlac
gun iarraidh
gun taing.

'S a' cromadh a' bhealaich
air an taobh thall,
os dèidh smoc
's anail a tharraing
's norrag fhaighinn
's dàn a sgrìobhadh
's rann a sheinn
agus èirigh bho na mairbh,

chì mi am baile fodham,
le droch choltas gu bheil feum sam bith aig' ormsa:
gach taigh grinn le truinnsear-saideil,
gun aon teine-mònadh,
gun ròp-anairt san t-sealladh,
gun each, gun bhò, gun mhuileid, gun asal,
's mo ghnothaichean-sa cho seann-fhasanta,
mar *caveman* ann an saoghal didseatach.

Ach on a dh'èirich mi bho na mairbh,
tha e cheart cho math dhomh creidsinn,
's on a thàinig mi air cuairt cho fada
tha e a cheart cho math dhomh èigheach:

"Mac Mhaighstir Alasdair!
Uilleam Ros!
Dante!

"Mac Mhaighstir Alasdair!
Uilleam Ros!
Dante!"

'S chan eil duine gluasad,
na saidealan trom torrach le Man U.

Ach glaodhaidh mi rithist:
"Panaichean!
Panaichean ùra!
Panaichean buadhmhor!
Panaichean mireanach!
Panaichean glaganach!
Panaichean uallach!
Panaichean drithleannach!
Panaichean ruadha!"

's tha aon doras-cùil a' fosgladh
's bodach beag crùbach a' caogadh a-mach
à cuimhne

's thall an siud tha tè òg a' fosgladh na h-uinneig
's a' cromadh a-mach
's ag èisteachd

's tha leanabh aig oir na sràid

's peantair a' stad àrd air àradh

's banaltram a' cur sìos a baga

's aon os deoghaidh aoin
tha dorsan a' fosgladh
's cailleachan a' seasamh 's a' smèideadh

a' cuimhneachadh luideagan òrain a tha rin càradh,

's poitean dhàn a tha meirgeach,

's bloighean Gàidhlig a tha laighe timcheall

's ruinn 's ruitheaman 's rannaghalan a tha dol air dholaidh
ann an lobhtan na h-inntinn,
ann an seilearan na h-aigne,
ann an cùiltean dorcha na h-eanchainn,
ann am preasa a' chridhe,
fo leabaidh na h-eachdraidh,
ann an clobhsa dubh a' mhic-meanmna
ann am patio-lounge na beatha telebhiseanaich

meirgeach

briste

breòite

's tha mi an sin fad latha, no seachdain, no bliadhna -
fad sìorraidheachd mhòir
le snàthlainnean bàrdachd,

le clobhdan nan dàn,
le prìnean nan òran,
le biorain nan rann,
ann an teanta canabhais na Gàidhlig

air iomall a' bhaile,
a' tàthadh 's a càradh
le òrd-ladhrach nam briathran,
le geinnte nam faclan,
le eighe na tuigse,
le gilb na h-eachdraidh,
le tàirnean na fìrinn

air innean a' cheàird air nach robh feum, no iarraidh,
gus an tàinig am bàs.

# Clann Uisne

Ann an galagsaidhean na h-iarmailt
seall air an reul bheag ud: Litvinenko
air a phuinnseanachadh ann an Lunnainn
's an ùrnaigh bheag a' dol suas mar shradag.

Saoil nach e saoghal slàn a shiubhail an siud,
nuair a chunnaic mi an reul sheachranach a-raoir
aig astar a' tuiteam siar?

'S m' fhaclan
a deàrrsadh san dorchadas, a' priobadh
a dh'aindeoin astar solais: an aon talamh
a th' againn, tròcaireach fo mo chasan,
is Slighe Chlann Uisne fosgailt' os ar cionn.

# K.C. Craig ann an Snaoiseabhal

Uibhist mar nèamh,
mar chuan, mar ghaineamh na mara,
mar choille, mar chrò,
mar aingeal, mar sgeulachd,
mar fhacal, mar bhriathar,
mar abairt, mar Mhàiri
nighean Alasdair 'ac Dhòmhnaill
'ac Dhòmhnaill 'ic Iain, a' seinn
òrain luaidh gu sìorraidh
anns gach dùthaich a bha riamh ann:
Bechuanaland, Union of Soviet Socialist Republics,
Persia - smaoinich air na bodaich an sin
nan seasamh sna h-achaidhean, le tobha
no ràcan no spaid, agus na cailleachan,
ann an Snaoiseabhal Afraga, a' bleith

|               hù gò        |    hù gò             |
|               hao ri ho rò |    hù gò             |
| a bhean ud thall           |    an cois na tràghad |
| sìn do chas dhomh,         |    sìn do làmh dhomh   |

tarsainn linntean
tarsainn cànain
tarsainn cabhsair a' bhàis,
eadar Snaoiseabhal agus an saoghal,
mar *Tollund Man*
mar Wolfe Tone
mar *Yeshua* dol gu *Christos*

agus sinne nar srainnsearan, nar coigrich,
nar luchd-turais, nar sgoilearan,
nar bàird, nar mic, nar nigheanan,
nar n-oghaichean, eadar fios is aineolas is cuimhne,
a' tadhal 's a' seasamh balbh

aig uamh
no uaigh

nam briathran mòra beusach blìonach briongadach
bronnach brosgalach brucach
criathrach crannagach
fradharcach
gorradach
meadhrach meanmnach mìogshuileach mollsgaideach
moineasach

na h-uchd,

air a bilean,

dol na chluais, na cheann, na chridhe,
tro na fèithean sìos dha na meuran
a' clàradh an òrain a sheinn mi leam fhìn
a-màireach:

      ò hoireann ò          's trom an dìreadh
      ì hoireann ò          's trom an dìreadh
      ò hoireann ò          's trom an dìreadh

Trom 's gur h-airtnealach liom fhìn e,
'S fhad' an sealladh bhuam a chì mi -
Chì mi Rùm is Eige 's Ìle,
Eilean nam Muc 's an Tìr Ìseal.
Chì mi Uibhist nam fear fialaidh
Far an dèan iad an Fhèill Mhìcheil,
Eich gan leigeadh, stòip gan lìonadh,
Bidh an Nollaig mhòr le droch shìd' ann,
'S thèid an seòladair gu a dhìcheall
Air luing mhòir nan crannag dìreach,
Dol air bhòidheids dha na h-Innsibh
Far am faigheadh iad an sìoda.
Truagh nach faighinn mar a dh'iarrainn -
Caolas Uibhist a bhith na fhiadhaire
'S rathad mòr bhith throimhe dìreach.
Thigeadh marcraich thugam fhìn air
Air each crùidheach srianach dìollta.

Sìol an fhacail fo dhèis
far nach robh idir dùil: air an each
chrùidheach shrianach dhìollta seo,
am *Microsoft Word 2000*
a' cur seo:

              fa liu o ho
              ho ao ri o ho ho ao o ho
              fa liu o ho

far nach robh sìon - sìon idir, idir -
mus tàinig
              hù gò.

# Anns an Fheamainn

Bhiodh iad ag ràdh
gum b' e botal mòr Black Label
a bha falaichte aig Dugaidh Mòr
anns an fheamainn.

Chitheadh tu e air madainn geamhraidh
le ultach chlachan san trèilear,
a' phìob pharafain
dol roimhe mar aingeal,
's nuair a stadadh e peileag air a' chnoc,
"Ahà!" chanadh an sluagh.

A Dhugaidh chòir,
dè bha falaichte sa phoca
chòrcach mhònadh a ghiùlain thu
air do dhruim crùbte o mhoch gu dubh?

'S dè bha falaichte
anns an sgrìob mhachaire
far an robh thu air do ghlùinean
fad earraich is samhraidh,
's anns na cocannan-feòir
agus fon todhar
agus an iodhlainn an fhoghair ghlais
a dh'aindeoin saothair mhòr do sheòrs'?

Ana-ceartas,
a Dhugaidh Mhòir,
is bochdainn agus cruadal:
an rud a chladhaich thu gach là,
Label Dubh na truaighe.

# An Dàn

Bhàsaich i a-raoir,
na cadal, ged nach tug duine
an aire.

Cha do mhothaich mi fhìn
gus an do choisich mi seachad
air a bothan an-diugh,
's na cùrtairean dùinte
's an cù balbh aig an doras,
gam leantainn le shùilean.

Bhiodh na bodaich ag ràdh
cho math 's a bha i air seinn!
Failbheagan daoimein
a' deàrrsadh na cluasan
's an guth ag èirigh dha na nèamhan
mar bhogha-fhrois.

Ghiùlain i eachdraidh a' bhaile
na h-amhaich mar orcastra.

Bha Canada na guth,
agus moit na h-òige
agus urram na h-aois,
agus i (cuideachd) cho èibhinn!
An turas ud a chaill Alasdair Mòr
an t-each ..!

Ach shiubhail i gu socair
anns an oidhche,
fhad 's a bha sinn uile nar cadal.

'S chan eil air fhàgail againn
ach an t-sèist.

*Le taing do dh'Iain Moireach (Barabhas) airson cuimhne/samhla
nam failbheagan*

# Stòras Uibhist

*Rannan beag a sgrìobh mi do mhuinntir Uibhist aig Ceòlas 2006,*
*nuair a dh'iarr Iain Dòmhnallach (Gleann Ùig) pìos bàrdachd orm*
*mu Thilleadh an Fhearainn.*

Uibhist chùbhraidh nan dàn,
Èist le bàrdachd ar bilean,
Tha ar saorsa air fàir',
Tha ar machraichean leinne.
A' Bheinn Mhòr tha cho àrd
Na samhla a-nise
Gum buin i dhan àit',
'S an t-àite dhuinn uile -
      He-hò-rò, abair là,
      Tha ar stòras air tighinn!

Chan e stòras an àit'
Dìreach machraichean Uibhist;
Chan e 'n stòras as àird'
An rud a chì sùil san innis -
Chan e 'n talamh a-mhàin
A shealbhaich sibh uile
Ach eachdraidh is òrain
Is bàrdachd nam buillean -
      He-hò-rò, abair là,
      Tha ar stòras air tighinn!

Bha àm ann, a chàirdean,
Nuair a bhuineadh e uile
Do Lady Chathcart
Agus Iain Gòrdan à Cluny;
'S bha àm ann na b' fhèarr,
Fo Chlann Raghnaill nam filidh,
Ach thàinig fuadach is fòirneart
Is bochdainn is milleadh -
   He-hò-rò, abair là,
   Tha ar stòras air tighinn!

Ach tha linn ùr air fàire,
'S tha mhadainn air tighinn,
'S ann dhuibhse a-nist
A bhuineas Uibhist nam Filidh:
Dèanaibh dàn dheth, is òran,
Is pìobaireachd cuideachd -
Dèanaibh danns' dheth, is ùrnaigh:
   Mo mhìle beannachd air Uibhist!

# A' Chuirm

Am pìobaire air thoiseach,
ged nach eil duine ag èisteachd ris a' phort:
chan eil ann ach sealladh brèagha an fhèilidh,
agus am fuaim ag èirigh dha na speuran.

Tha a' bhanais seachad
's gach neach air dhòigh: coinfeataidh is
clag nan camarathan 's a ghrian a' deàrrsadh
òr.

Seann bhanntrach taobh muigh na rèile
a' guidhe gach beannachd air a' chàraid-chèile:
an tè bu bhòidhche bh' anns an t-saoghal
a' faicinn tìm, le gàir', ga trèigsinn.

# An Saoghal Ùr

Seo an saoghal ùr a-nis,
air ar starsaich fhìn:
chan eil feum air *Metagama*
no air neapraigean geala aig cidhe

oir tha an ceìlidh air a' phrèiridh
ann an seòmbar beag gach dachaigh.

An àite
sinne
dol a dh'Ameireagaidh,
tha Ameireagaidh
a' tighinn thugainne.

Eilthireachd air a dhol à fasan,
fuadach air a dhol fuadan,
an SmeurDubh an seo nam bhasan,
is Springsteen na mo chluasan.

# Eilean an Ionmhais

A' deàrrsadh,
mar ghuth Alvar Liddell air oidhcheannan geamhraidh an
Uibhist ann an litrichean òir Gallta, a' deàlradh eadar
*Black Beauty* agus *Kidnapped*.

Bha iad gu lèir lainnireach, annasach:
gillean tapaidh le *flannels*, gun cac nam beathaichean
      mun glùin,
gun bochdainn no nàire, no Beurla, gan tàladh,
gan dìteadh.

Oir b' iadsan balaich na h-Ìompaireachd,
caileagan nan each, na Four Marys
nach robh idir leibideach no lag.

Cha b' e mo dhaoine-sa bha siud
ach curaidhean coileanta

fhad 's a thàinig mise am beul na h-oidhche,
na mo chànan mabach fhìn,
mar Nicodemus no Più Dall a' dol tap-tap-tap.

Bha Long John Silver àrd is cumhachdach,
ach fo sholas na Tilley
chrùb mi a-null 's chunnaic mi am map òir aige sgaoilt'
air a' bhòrd.

*X marks the spot*,
bha e cagairt gu liosda,
's an rud bu phrìseil' fo neamh
an sin glaist' ann an ciste.

# Mòine nam Briathran

A' tighinn a-steach air itealan a Bhaile Mhanaich,
chì thu athailtean nam poll, seasg anns an fhraoch.

Tha mo bhean rim thaobh 's ar leanabh air bhroilleach,
mar bhreac eadar loch is bruach.

Tha sinn a' tighinn gu talamh
mar gum biodh an talamh a' tighinn thugainn, gun
        tàmailt.

'S a' dràibheadh, mar as dual, gu deas,
chan eil nì mar a bha.

Mar nach robh e a-riamh mar a bha,
ann am priobadh na sùla, ann an diog a' caochladh.

'S tha na puill a' cumail rium, gam leantainn
tarsainn meataforan a' bhàis,

a' glaodhaich gur e tuill thorrach
a bh' annta, a rug na ceudan mhìltean

mus do chuir na seann daoine bhuapa na spaidean
's mus do mheirg na treidhsgeirean

a dh'fhàg na puill bog bàthte, cleas na Gàidhlig,
connadh gun iarraidh ann an saoghal clis dealantach.

# Litrichean Adhair

Cha robh fhios a'm riamh dè na h-ainmean
a bh' air na h-antaidhean a phòs Canèidianaich
ach gach Nollaig bhiodh na litrichean dathach
a' tighinn

's choimheadadh sinn air an Atlas,
air a' phìos mhòr uaine sin a bha eadar
Edmonton agus Ontario

's an uair sin gheobhadh sinn *tracing paper*
's peansail tiugh m' athar 's dhèanadh sinn
loidhne dhìreach
dol tarsainn Calgary agus Winnipeg agus Quebec
dhan Atlantic a-nall dhan taigh againn,

rèidh

seach mar a dh'fhalbh iad, air na cuairtean fada
le am màileidean
taobh Loch Baghasdail no Liverpool no Lunnainn.

'S bhiodh litrichean-adhair eile ann cuideachd,
bho Iain ann an Sydney
no bho Sheònaid ann an Johannesburg,
nach robh cho follaiseach,
steigte air cùl a' Westclox, os cionn an teine.

Aislingean
is bruadaran
an t-saoghail nuaidh:
an Rio Grande, an Transvaal agus na Niagara Falls
far an do sheas Seòras Chaluim Sheòrais, a rèir na sgeòil,
a' coimhead air Blondin
a' leum air aon chois tarsainn na sìorraidheachd.

'S bha na càirdean nach d' fhalbh -
na h-antaidhean 's na h-uncailean aig an robh ainmean
        gu leòr -
nan seasamh aig cinn nan taighean,
ag osnaich, no a' smocadh,
bog fliuch sgìth nan oidhsglinnean,
a' feitheamh air a' bhuntàta
's forecast na h-aimsir air a' wireless:
Force 8, mar a b' àbhaist, *imminent* taobh
Malin Head.

# A' Chraobh

1.
Sin thu rùisgte air mo bheulaibh
ann am Faoilleach na bliadhna,
mar a bha mi an latha choinnich sinn,
gun duilleach air fhàgail
ach na meanglain sgaoilte,
lom eadar an uaigh 's an iarmailt.

2.
Lùbte
anns a' Ghearran,
mar dhearbhadh air an t-seann sgeul:
mar as motha shèid a' ghaoth,
's ann as motha theannaich thu rium
mar ghathan-grèine
a loisg an còta dhìom.

3.
'S ann os dèidh làimh
a dh'inns thu an fhìrinn dhomh:
nach fhac' thusa riamh
ach na beàrnan eadar na duilleagan,
an t-àite falamh sin a ghlacas an solas,
àite-dannsa na grèine eadar talamh is nèamh.

4.

Dh'fhaodainn tòiseachadh an seo,
ris an can sinn a-nist an Giblean,
mar nach robh seann aimsir ann,
no seann dòighean-tomhais
a thug dhuinn gach saoghal
eadar Inid agus Bailc na Bealltainn.

5.

Ghràdhaich thu mi anns a' Chèitean,
le blàth nam pòg -
thàinig iad mar an canach, aotrom
air a' ghaoith, agus b' e am mìorbhail
mar nach do phronn mi iad
le mo ghàirdeachas.

6.

Agus bha sinn ann an òg-mhìos ar gràidh:
an t-sìorraidheachd sin
nuair nach fuiling thu aon nì
às a h-aonais, mar nach fuiling
Dia am bàs
no an sneachd am blàths.

7.

Iuchar an dorais.

'S thàinig mi a-mach.

No thàinig thus' a-steach.

No thàinig thus' a-mach,

agus chaidh mise steach.

No còmhla, air an starsaich.

8.

Agus laigh sinn

uchd ri uchd

sliasaid ri sliasaid

anns an Lùnastal: gealach abachaidh an eòrna

cruinn agus buidhe agus torrach

os ar cionn.

9.

Anns an t-Sultain,

crìonaidh na craobhan, a rèir eachdraidh.

Siabaidh na duilleagan,

tuitidh na measan anns a' ghaoith.

Nach mìorbhaileach foghar an fhàis,

gach nì abaich agus ruadh is làn.

10.

Agus ann am mìos

nan damh, seall oirnn air a' mhonadh:

mise le na cabair

agus thusa mar an eilid bheag bhinneach

bu ghuiniche sraonadh:

nach bu tu am balach, a Dhonnchaidh Bhàin!

11.

Samhain:

Latha nan Uile Naomh

agus gach craobh anns a' choille

a' caoineadh. Faic na deòir,

a' sruthadh sìos aodann a' Chuilithinn,

a' bàthadh a' Chuain Sgìth.

12.

Dùbhlachd.

Luimead is reothadh.

Gaoth tuath, fuachd is gailleann.

Agus sinne paisgte air beulaibh an teine,

na cnòthan a' bragadaich,

meas air chrannaibh.

# Eadar

Eadar dà shaoghal,
an sgàthan agus a' ghrian.

Cuir sgàthan ri grian
agus loisgidh tu am feur.

Cuir sgàthan ri grian
agus, ma chreideas tu Hammond Innes,
bheir thu rabhadh dha na neoichiontaich
gu bheil na creachadairean a' tighinn,

ged dh'fhaodadh e a bhith an taobh eile
a rèir do mhiann.

Tha thusa, ghràidh, mar ghrian
gam chumail beò.

'S tha thusa, ghràidh, mar sgàthan
gam thàladh gu Talla nan Draoidh,
far a bheil gach nì na fhaileas deàrrsach,
mar ubhal na craoibhe,
's do shlios mar eal' air an t-snàmh.

Eadar a' ghrian agus an sgàthan,
eadar an gràdh agus am peacadh,
seall cho goirid 's tha an t-astar.

Seall cho àlainn 's a tha an gàrradh,
's tusa gluasad am measg nan ròs,
d' fhalt ciabhach camalubach casach
gam dhraghadh gu sgàthan nam pòg.

# Air Machaire Fhlaitheanais

*Mar chuimhneachan air Iain Sheonaidh*

Tha iad a' sìor chocadh an fheòir
ann am Flaitheanas, mar a bha.

Chan fhaic mi clàrsach
no sgiathan ach seo:

na h-achaidhean loma-làn
le mnathan a' ràcadh, 's na fir

air mullach nan cocannan-feòir,
a' seinn ceòl na pìoba

air latha Lùnastail, latha fogharaidh
gun chrìch.

# An Rèis

Ge luath a ruitheas mi,
tha am faileas ud
daonnan aig mo ghualainn -
bàs m' athar.

Ann am meadhan na h-oidhche,
dùisgidh mi
is seasaidh mi aig an uinneig
is chì mi
tìm a' siubhal seachad,
mar reul a' tuiteam tro na speuran.

Aig meadhan-latha,
ann am meadhan coinneimh
no am meadhan mo dhìnneir,
cluinnidh mi an ambaileans
a' falbh 's a falbh,
's mi fhìn na broinn a' cumail do làimh

mar gun cumadh tu grèim air beatha
a' bualadh seachad, buille os dèidh buille
os dèidh buille.

# Dualchas

Cha till an t-àm sin a-chaoidh:
dualchas mar a' chreig,
abaich mar arbhair a' mhachaire

a' sèideadh sa ghaoith. Shiubhail iad,
mar dhèis an eòrna fo shuathadh spòg eòin,

a' tuiteam ann an *slow-motion* gu talamh
mar fhear dhe na dàibhearan ud
a leumas àrd an toiseach, a làmhan paisgte
mu ghlùinean

mus tionndaidh e
car a' mhuiltein a-rithist 's a-rithist 's a-rithist
mar shaighead airgeadach a-steach dhan uisge
caol, fada, tana, domhainn

mar a dh'fhalbh iadsan, ann an *slow-motion*
an toiseach, ach an uair sin nas luaithe 's nas luaithe

an taobh eile,
mar rocaidean suas dha na speuran,
mar Armstrong a' dol dhan ghealaich,

glan a-mach à sealladh.

An dust a thog a bhrògan ann an laboratoraidh ann an Texas
mar fhianais nach deach ar mealladh.

# Cnàmhan nan Cànan

Na mìltean dhiubh an seo marbh
ann an Gleann Esèciel, balbh
gun fhacal, gun bhriathar,
gun abairt, gun dùrd:
Greugais Homer,
Laideann Virgil,
Beurla Chaucer,
mòr- is mion-chànanan nan Aztec,
nan Inuiteach, an Navaho,
an Sioux, an Cherokee,
agus Gàidhlig Dheadhan Lios Mhòir.

Agus anns a' bhalbhachd chuala mi an laoidh seo:

"A Thighearn', nam èiginn cuidich mi,
Taom nuas do ghràs 's do ghlòir,
Oir anns an fhàsach thioram thràigh'
Mo chànan sgaoilt' gun deò.

'S mar làithean mòr Esèciel,
Chan e fèithean fhèin tha dhìth,
No dìreach craiceann 's còmhdach feòl',
Ach anail, spiorad 's crìdh'.

Dè dh'fhàg na mìltean marbh an seo,
Am measg nan cnoc 's nan glinn,
Na faclan tioram, na briathran balbh,
An sluagh gun lùths, gun strì?

Gach Ìompaireachd a thàinig oirnn,
Gach nì a thug dhuinn bàs,
Nis coimhead air mar rinn am Fàidh -
An urrainn seo tighinn slàn?

'S ged thàinig fèithean agus feòil,
Ged thàinig craiceann mìn,
Ged thàinig cnàmh a-chum a' chnàimh,
Cha tàinig neart sam bith.

Gun anail beò an Tighearna
Cha d' ghluais aon chorp, aon nì:
Na mìltean beò, ach fhathast marbh,
Nan laigh' an sin gun bhrìgh.

Ach nuair a thàinig anail Dhè,
'S ann sheas iad uile suas,
Na mìltean theangannan sa chrè
Beò fuasgailt' às an uaigh.

Gun shaorsa, chan eil cànan ann,
Gun spiorad chan eil strì,
Mur cleachd na beò an dìleab-cainnt,
'S ann marbh bhios i le cinnt."

# Darach is Mil

Bha àm ann a thug mi leisgeul
dhan olc.

Chan ainmichinn e,
mar nach ainmicheadh tu an Diabhal
air eagal 's gun toireadh cànan beatha dha.

Mar gum b' e draoidheachd a bh' ann am briathran
a bheireadh nì gu bith, mar as fìor.

Oir anns an toiseach bha am Facal …

ach chan eagal leam an-diugh,
oir chunnaic mi a' chraobh-daraich
a' sileadh na fala, agus a' mhil bu mhìlse
a' searbhachadh air mo bheulaibh
ann an ainm Israeil an Rìgh.

'S e mo mhiann a-nist an rud as cruaidhe a bhristeadh,
mar a bhristeas gràdh an cridhe
's mar a bhristeas ainm an geas.

An àite daraich, cuiribh caorann,
an àite teacs, co-theacsa,

oir nuair a bha sinn thall am Pàrras
bha a h-uile nì air a dhèanamh à mil.

An sin, leagh mi
ann an abhainn do cholainn,
mar a leaghas mil air tost.

# A' Mharoc

'S e na sràidean fada farsaing Frangach
ann an Casablanca
as motha air a bheil cuimhn' agam,
agus cho fìor dhonn
's a bha na sùilean aice.

Chaidh sinn gu film a bha
*dubbed:*
Elvis Presley a' labhairt le dà bheul,
mas fhìor ann am Fraingis,
fhad 's a lìon fàileadh cùbhraidh nan geanm-chnò,
a' ròstadh, sineama fosgailte
a' mhullaich reultaich.

Cha robh for againn
gun robh film dubh is geal eile
ga dheasachadh, a bheireadh *Heartbreak Hotel*
a-nuas on sgrìon 's a chuireadh fìrinn nas miosa na ficsean
air ar beulaibh, gun fheum air *dub* gus a thuigsinn.

# Cuairt gu Bogsa nan Litreachan

Ach an t-astar aig an robh a' ghealach a siubhal!

Gu deas fo na neòil
seachad air Barraigh, àilleagan a' chuain,

's gun sìon a dh'fhios againne
gur e sinn fhìn a bha a' gluasad mar na sgòthan

tuath gun sgur,

Galileo os cionn Gheàrraidh na Mònadh
agus Copernicus
anns na speuran

's a' ghaoth an iar a' sèideadh na uèaraichean-dealain

's an litir a' tuiteam à sealladh.

# Malairt

Chan e nach e marsanta a bha nam sheanair.

Gun teilidh,
no fiù 's wireless no eadar-lìon,
b' e chur-seachad geamannan na meadhan-aois:
a' phìob-chreadha, a' sealg, a' dol chun a' Mhòid.

Air neo,
ginealach nas fhaid' air ais,
mo shinn-seanair
(dìreach mus deach fhuadach a Mhanitòba)
aig a' cheilp, no a' saighdearachd, no a' bàsachadh
air an rathad a Chùil Lodair.

A' malairt san fhàsach,
bha na sealgairean-tuinich air an dalladh
le saigheadan fiodh, mar a tha mi fhìn air mo dhalladh
le uabhas gach naidheachd: an saoghal na bhloighean,
dìreach mar mo chànan air teacsa,
's mi bruthadh dà òrdaig leibidich

ann an oidhirp

sgaradh a dhèanamh eadar
*rep-ly* agus *del-ete.*

# Solas is Saorsa

Uair ann bha iad sna claisean 's sna dìgean,
sna lèigean 's sna glaicean,
sna boglaichean 's sa mhòintich:
Niall Sgrob air thoiseach an t-sluaigh!
Crògaire-Fraigh a' crathadh a' bhalla!
Màrtainn nan Corc a' sailleadh nan casan gàgach!

Obh, obh agus obh eile.

"Thoir an aire, 'ille,
nuair a thèid thu seachad air Loch an Eilein,
nach faigh Dugaidh Mòr grèim ort!":
taibhs cho sgreamhail grànda 's a bha an Uibhist.

Thoir an aire dhan dorchadas,
's dha na faileasan,
's na fuaimean beaga bìodach dìosgach
a chuireas crith-bàis tromhad
sa mheadhan-oidhch',
's dhan stairirich shìos sa chlòsaid,
's do dh'fhead na gaoithe air feasgar fuar geamhraidh,
's dhan ghnogadh a thig gun fhios gun fhiost gun iarraidh:
rat-a-tat-tat air an uinneig, 's air an doras, 's air ceann-
        fiodha na leapadh.

Èist le na luchagan,
èist le nualach nam bò,
èist le na h-eich a' sitrich,
èist le Peinidh Fhrangach a' sìor chaoineadh an Ormacleit
's Ailean liath na laigh' air Sliabh an t-Siorraim: bha
        adhbhar ann.

Ach!

Thàinig a' Hydro-Electric,
's an rèidio 's an teilidh:
"Seall! Celtic an aghaidh Rangers! Ann an dath!
Seall! Armstrong a' leum air a' ghealaich!
Èist! Iain Pheadair air a' wireless!
Bodaich dhubha dhubha dhubha, bodaich dhubha bha
   sa bheinn!"

'S chuir an solas às,
buileach glan,
dha na bòcain.

'S chuir am fuaim às,
buileach glan,
dha na manaidhean 's na taibhsean.

Whoosh! Away you go!
At the press of a switch!

Agus bha solas ann!

Agus an ceann ùine, anns an t-solas,
nochd iad a-rithist, na bòcain choimheach,
a-mach às an dearbh inneal a thug saorsa dhuinn,

a' tuiteam, mar dhreagan, a-mach às na speuran
a-steach dha ar seòmraichean-suidhe,
dìreach mar anns na seann sgeulan.

# Deugaire nan 60an

Innsidh mi dhut cò mu dheidhinn a bha a' Ghàidhlig,
thuirt e:
cac nam beathaichean 's oidhsglinnean,
buachar na bà 's an dubh-chosnadh,
Sàbaidean sìorraidh buan is dìteadh
airson na cànain deireannaich.

Ach air an làimh eile,
thuirt e,
thigeadh na fir dhachaigh à Singers.
bha Fair Ghlaschu ann agus
Geamachan Àisgearnais,
Tom Paxton agus Woody Guthrie,
Jimi Hendrix agus Mick Jagger,

agus - eadar an ceòl dùthchail - Lulu
a' dol boom-
bang-a-bang-bang
fad na h-ùin'.

Cha robh an roghainn,
thuirt e,
eadar na bòtannan fliuch dubh
agus na sliasaidean fada geal aig Dusty
Springfield
ro dhoirbh,

fiù 's ann an Gàidhlig,
thuirt e.

# 'S Fheàirrd' thu Guinness

Am measg nam breugan
a chaidh a thàirneadh
gu cinnteach a-steach
do chiste Sheonaidh MhicAonghais
's e na laighe marbh an sin
an t-seachdain sa chaidh
bha an tè mhòr:
*Guinness Is Good for You.*

Aon turas chunnaic mi an saor ud
a' dòrtadh dusan pinnt dheth sìos amhaich
mar gun robh mìorbhail na Mara Ruaidhe
air tilleadh air ais.

An t-seachdain mus do dh'eug e -
a chlaigeann air a phronnadh le bara-cuibhle a thuit
        o na h-àrdaibh -
bha e dìreach air crìoch
a chur air togalach ùr do Bhanca na h-Èireann.

An-dè,
's mi giùlain aon sreang
air a' chiste bha cho tana ri *cardboard*,
ghiùlain sinn e seachad air aon phub agus aon bhanca,

agus an sin,
anns an dìle dheàrrsach,
chuir sinn san talamh e,
mar Dhia eadar dà mhèirleach.

# Imleag

Nam laighe san amar,
seall oirre - an coire cruinn sinnsireil.

Gam cheangal,
taobh mo mhàthar, tuigidh sibh,
ri Ciorstaidh nighean Ealasaid nighean Pheigi nighean
    Chatrìona Mhòir
a sheòl turas, na h-aonar,
ann an canù a rinn i fhèin,
eadar Canaigh is Uibhist.

Bha i a' toirt dhachaigh poca mine.

Tron phìob fheòilte gheàrrte
dheothail mi bochdainn mo mhàthar,
mar a shluig ise, cuideachd,
bochdainn gach màthar cràidhte.

Ach seo mi san amar,
bàthte ann an ceò cùbhraidh:
tha an cop sùbh-làireach (às a' Cho-op)
a' còmhdachadh m' eachdraidh stùraich.

# An Taigh-Solais

Ann am fairge mhòr na h-Alba
tha an dorchadas mar chleòc'
a' còmhdachadh nan uisgeachan

's chan eil dòigh eil' ann ach an t-seann dòigh,
coimhead suas an dòchas
gum priob reul no rionnag
mar fhianais gu bheil combaist fhathast ann

's mi a' siubhal an seo aig astar
air an treàn a' dol dhan ear,
Galltachd gam shlugadh suas,
a' toirt a chreids' orm fhìn

gu bheil taigh-solas air fàire
a stiùireas mi tro sgeirean a' bhàis.

Agus shuas an siud,
anns an iar-thuath mura bheil mi air mo mhealladh,
chì mi an Crann-Arain
agus thusa aig an stiùir, a ghràidh,
a' treabhadh tro na speuran
le seachd rionnagan do ghràis:

anns an dorchadas, tha an solas a' fàs.

# An Sruthan Beag

Tha na h-aibhnichean
a' lùbadh tro Alba,

a' gabhail an slighean fhèin
o gach àirde dhan chuan,

's nach iongantach
an sruthan beag seo

a bha reòthte fad còig cheud geamhradh

a' ruith a-nis

a dh'aindeoin an teas bhrùideil seo
a tha air fàsach a dhèanamh dhen t-saoghal.

Tha feum air gach boinne uisge
mus tionndaich e gu salann.

# Bridge over Troubled Water

*Seo tionndadh saor a rinn mi air an òran ainmeil aig Simon &
Garfunkel airson na h-eaglais anns an Eilean Sgitheanach. Aig
amannan eile dhen bhliadhna, dh'fhaodadh tu faclan eile a chur aig
an toiseach, m.e., "Nuair thig samhradh, is teas is grian, 's tha 'n
saoghal uile uain' is gorm, 's an t-Iuchar (no ge brith dè) ann … "
'S e sin ri ràdh, tha àm sam bith freagarrach son do chridhe thoirt do
Chrìosd: foghar-sìorraidh ann an nèamh, mar a thuirt John Donne!*

Nuair thig Nollaig
is sneachda trom,
's tha 'n saoghal uile geal is lom,
's an Dùbhlachd ann … O,
's e sin an t-àm - O, 's e sin an t-àm
do chridhe thoirt do Chrìosd

Tha mar dhrochaid o seo gu nèamh,
eadar seo is nèamh,
tha mar dhrochaid o seo gu nèamh,
eadar sinn is nèamh.

Nuair tha thu ìseal sgìth,
nuair tha thu uile brist',
nuair tha h-uile nì … gad chràdh,
dèan ùrnaigh dha …
's e sin an t-àm - O, 's e sin an t-àm
do chridhe thoirt do Chrìosd

Tha mar dhrochaid o seo gu nèamh,
eadar seo is nèamh,
tha mar dhrochaid o seo gu nèamh,
eadar sinn is nèamh.

'S e Crìosda Chal-bhar-aigh
a rugadh dhuinn,
tha àm air teachd,
tha Dia na Glòir air tighinn a-nuas nar lùib:
seall air a Ghlòir - O, seall air a Ghlòir:
tha Dia nan Àird nar measg

Mar dhrochaid eadar sinn is nèamh
tha Crìosd air laighe sìos,
mar dhrochaid eadar sinn is nèamh
tha Crìosd air èirigh suas,
air èirigh suas …

# Tighinn 's a' Falbh

Chan eil sìon as fhèarr
leis a' bhalach bheag agam
na rudan a' tighinn 's a' falbh:
am bàta seòladh air a' chuan,
an trèan a' fàgail an stèisein,
itealan ag èirigh dha na speuran.

Cha do ràinig e fhathast
seòmar-suidhe na sìth,
dìreach mar nach do ràinig mi fhìn,
's mi sìor shiubhal an t-saoghail
gu luasganach eadar an dà Uibhist:

a' chuimhne a' falbh 's a' tighinn,
's am mac-meanmna ag èirigh dha na speuran,
's mi an seo, nam mheadhan-aois,
a' stiùireadh na trèana
tron tunail le dùdan mòr,

*choo-choo*

a dh'ionnsaigh lùbadh an t-solais.

# Ruitheam is Rann

Tha mi air tilleadh, aig m' aois, chun nan rannan,
Gu buille is cumhachd nan dàn,
Gu na stràcan bheir comhfhartachd dhuinne
Nar laigse, nar n-eagal, nar cràdh.

Tha an saoghal cho caochlaideach meallta
'S gu bheil feum air failm bheag nan rann,
Fiù 's san sgoth ùr tha fosgailte fuasgailt'
A' seòladh gach cuan le ciad ràmh.

Cha bhiodh adhbhar dhomh bhith ri rannan,
Ri labhairt, no òrain no dàin,
Mura b' e gum bithinn a' creidsinn
Gun gluais iad thu òirleach on bhàs.

Oir mar fhear a bha tinn agus cràidhte,
A' fulang gu cruaidh air an t-sràid,
Cha robh mòran a chuidich a bharrachd
Na bàrdachd is òrain a' ghràidh.

Tha Ghàidhlig mar euslan na laighe
Lag air leabaidh a' bhàis:
Chan e srainnsear tha seo a tha fulang
Ach m' athair 's mo mhàthair 's mo phàist'.

Chan e cànan tha balbh is gun teanga,
Chan e dualchas tha marbh is gun chainnt,
Ach Dàn a chaidh romham 's mi leantainn
Air slighe na saorsa 's na slàint'.

# Bàrdachd

Chan e siùrsach an rathaid mhòir
tha seo, ach an tè nach cluinn thu
ach anns an t-sàmhchas bhalbh.

An tè nach cluinn thu
ach anns an stoirm.

Tha i a' còmhnaidh eadar …

eadar nì is neoni, ma thogras tu,
anns an àite nach robh riamh ann
fiù 's nuair a bha e ann, no a bha riamh
ann nuair nach robh e riamh idir ann.

Tha i thall
air cùl na Beinne Mòire, còmhla ri MacCodrum
aig Banais MhicAsgaill, a' dannsa. Chuala mi raoir
i, na mo chadal, 's a guth cho fann,
ach cò bh' ann
ach Owen nam cheann - *Move him into the sun.*

Chrom i a ceann fa chomhair Reatoraig.

Dhiùlt na faclan tighinn
ach ann am bloighean, sgeul gun sgeul.

Chan e siùrsach an rathaid mhòir
tha seo le a sgiortaichean mu h-amhaich,
ach tè tha siubhal rùisgte,
cho glan stuama ri solas gealaich.

# Dubhadh-Grèine

Fad chòig mionaidean
chaidh an latha dubh,
mar an latha dh'eug m' athair.

Laigh na caoraich sìos,
a' dùnadh an sùilean;
chaidh na h-eòin balbh.

Phòg dubh dubh.

'S an uair sin, phriob òirlich solais,
mar leanabh,
a-mach às a' ghealaich,

's rinn na caoraich ghòrach mèaran,
a' cagnadh,
's sheinn na h-eòin Mozart.

Bha mealladh uabhasach air gabhail àite,
mar gun robh oidhch' is là, saoghal,
air siubhal
anns a' phlathadh
a thug e dha na caoraich laighe sìos is cadal
is dha na h-eòin cualaidh balbh: bhàsaich Dia
eadar dà sholas.

# Aon Bhuntàta

Furast' gu leòr dhuibhs' nur suidh' an sin air beulaibh
    choimpiutairean,
bùth Mace an ath dhoras agus Co-op shìos an rathad
's fòn-làimhe 's post-dealain 's facs
's BMX Shimano le *revoshifters* agus Odyssey Giro 2 360$^\circ$
    *rotation*
aig ceann an taighe.

Ach cuimhnichibh ormsa
agus bhan Fhionnlaigh a' tighinn mu dheireadh thall
mu aon uair deug oidhche Shathairne
's gun sìon air fhàgail aige sa bhan -
sìon idir, sìon idir, idir
ach dìreach
aon tuineap, punnd mions, dà chrogan bheans agus -
seo a-nist: *aon* lucky potato - Tobermory Tattie -
eadar an seachdnar againn.

Cnap an duine
's e falbh na ghreimeannan mòra mòra
mus do ràinig e mise: Dòmhnall Eòghainn, CRUNCH;
Màiri: CRUNCH; Aonghas: CRUNCH; 's an uair sin mise:
               CRUNCH CRUNCH
               CRUNCH CRUNCH

's gun sìon idir -
sìon idir, idir -
air fhàgail airson mo bhràithrean 's mo pheathraichean a
        b' òige,
na m' eudailean bòidheach, na truaghain bhrònach,
's iad a' rànaich 's a' bùireanaich 's a' sgreuchail 's ag
        èigheach
gun do ghoid *mise* an *aon lucky potato* a bha air
fhàgail an Uibhist a Deas,
am buamastair mise, an salchar, an trustar,
a' bhrùid shanntach, a' bhèist gheòcach,
an duine gàbhail, am balach pìocach,
gun truas, gun fheum, gun tròcair.

'S fhad 's a bha seo a' gabhail àit', a chàirdean,
bha Nixon a' frasadh napalm air clann a' Vietcong,
bha Khrushchev fhathast gan cuipeadh dhan t-sneachd
        sa Ghulag Archipelago,
bha Lord Burton a' goid airgead Uibhist,
bha Harold MacMillan ag innse dhuinn that we'd never
        had it so good.

Never had it so good?
Le aon Tobermory Tattie?
Gun àrd-sgoil! Gun rathaidean-tearra! Gun *Sunday Post*!
Gun Ghàidhlig san sgoil!
Gun teilidh! Gun rèidio! Gun dealan! Gun tap!
Gun uisge! Gun bhath!

Gun airgead! Gun leabhraichean! Gun lof!
Gun fòn! Gun facs! Gun phost-dealain!
Gun BMC Shimano le *revoshifters* agus Odyssey Giro 2
*360º rotation*!

Gun sìon idir -
sìon idir, idir -
ach *aon* Lucky Potato gach seachdain.

Aon bhuntàta milis tofaidh, a ghrod m' fhiaclan gu tur,
gu lèir.

Seachain iad, 'ille.

Seachain iad uile.

P.s. Tha an sagart, Maighstir Dòmhnall MacAoidh (Dòmhnall
a' Mhaighstir-sgoile), ag ràdh rium gu bheil mo chuimhne beagan
mearachdach! Bha iadsan a' fuireach shuas an cnoc air Trosaraidh,
agus tha e ag ràdh gum biodh Fionnlagh còir a' tadhal orrasan os dèidh
an taigh againne fhàgail. Mo chreach 's mo thruaighe! Bhiodh na bu
lugha buileach sa bhan an uair sin! Tha mi uabhasach duilich, a Mhgr
Dòmhnall - agus Alasdair! - nach do dh'fhàg clan Eòghainn Mhòir
sgath idir dhuibhse! Ach nach biodh Beano no rudeigin air fhàgail?

# Màthair na Banrigh is Iain MacLachlainn

An t-seachdain a dh'eug i,
chunna mi air an telebhisean
ciste màthair na banrigh air a giùlain
eadar Windsor agus St James's,
le pìobaire air thoiseach
a' cluich *The Dark Island*,
an ceòl a b' fhèarr leis a' chaillich rìoghail,
a rèir an neach-aithris co-dhiù.

Cho moiteil 's a bha Iain,
a' spaidsearachd air beulaibh na ciste
am measg nam flùrachan,
le gàire
gu muinntir Chreag Goraidh,
a mheuran mìorailteach a' danns' air na putain,
a' sèideadh 's a' slaodadh,
a' putadh 's a' pasgadh,
òigridh an Gym air a bheulaibh
le St Bernard's agus an uair sin Schottische,
na casan a' breabadaich,
na h-igheanan a' dol timcheall,
tuainealach, tuathal, tuaireapach, toilichte.

Sìos Hyde Park a ghabh e,
le troilidh loma-làn uisge-beatha,
a' cuimhneachadh mar a chluich e aig mo bhanais
's an turas ud a chluich e le Blàr Dùghlas air a làimh chlì
agus Fergie Mùideartach air a làimh dheis, mar thrianaid
nan seuntan, mar gum biodh Bach agus Beethoven
agus Mozart a' dèanamh *gig* no *jam session*
no fiù 's cèilidh còmhla, can ann am Poll a' Charra.

'S i fhèin,
na bu shine na Mother Teresa
agus JFK
agus Nelson Mandela
uile
na laighe
balbh
a' cluinntinn a' chiùil

Ghàidhealaich

a' tuireadh nam marbh

ann am baile mòr na h-Ìompaireachd,

a' waltz deireannach air a ghairm,

anns a' chamhanaich bhrèagh', aig deireadh na h-oidhch'.

# Falach-fead

Bidh mi fhìn 's am fear beag
a' cluich falach-fead:

"Boo!" èighidh e rium
o chùl na craoibhe,
"Fhuair mi thu!"

Dìreach mar a chaill mi thusa,
anns a' choille mhòr,
air cùl an daraich chumhaing
a chaidh a lìomhadh
gus am faicinn faileas m' aodainn
a' dèanamh falach-fead led ainm san umha.

# Smeur

Bhuain mi smeur ri taobh an rathaid,
agus smaoinich mi ort a-rithist,
do bhilean dearg is milis abaich.

O, nam b' ann mar sin a bhiodh a' chùis,
seach an lios uaine sa bheil thu,
's am balla-daingeann eadar làmh is sùgh.

'Eil cuimhn' agaibh, ge-tà,
mar a bhios na ròsan 's na smeuran
daonnan a' sileadh tarsainn balla?

An deàrrsadh falamh:
Adhamh,
le craiceann nathair crochte na làimh,
's am fear slàn a' dòrtadh prìs na fala.

# Combaist

'S e dà rud gu tur eadar-dhealaichte a tha anns an Tuath
Mhagnaitigeach agus an Tuath Fhìrinneach. Tha an Tuath    *Fhìrinneach*
stèidhichte agus an Tuath Mhagnaitigeach gluasadach.

Gach combaist san t-saoghal
a' lùbadh gu Magnaitig North,
ged a tha an Tuath fhèin stèidhichte,
mar fhìrinn.

Do bhilean ròis,
's d' fhalt mar fheamainn
a' suathadh na carraig. An Ear,
's a tha an t-snàthad a' dol nàdarra
Magnaitig North, Magnaitig North.

An dà fhacal
a' gluasad ri grabhataidh,
sìos gu tuath, far am faic mi beagan chun an ear-thuath
ceartachadh na combaist:

an Reul-iùil
a' dèalradh lainnireach anns an dorchadas,
mar nach b' urrainn nì a bhith cho soilleir
ri magnaitism suthainn nan speuran.

# Leadaidh Cathcart dot com

Can a-nist
gur e Bill Gates
Uachdaran ùr na Gàidhealtachd.

'S tha plana aige:
na glinn a lìonadh le caoraich bhàna
an fhiosrachaidh.

Tha an saoghal, cuimhnichibh,
na bhaile a-nist,
gun ghàrradh, gun chrìch,
gun thoiseach, gun cheann.

'S 'eil thu saoilsinn
gun urrainn dhutsa
bhith beò air bliochd do bhàrdachd,
bho bhò bhochd na Gàidhlig,
's i tioram, seacte, traoighte?

Ann an taigh-dubh do chànain,
lùib ceò thiugh do dhàintean
is toit dhubhach d' òran,
lag le galaran fuadan,
fann le fiabhras, goirt le gaiseadh
do bhriathran?

'S le sin,
nuair a fhuair mi am post-dealain bhuaithe
a' faighneachd dhomh am bithinn na bhàillidh dha -
uill, dè eile a dhèanainn? 'S e tabhainn siostam
Excel dhomh fhìn agus Windows XP nuair a thig e an
   taobh seo
air saideal, dìreach mar siud, saor an-asgaidh,
mar sheòrsa de bharantas fad mo bheatha,
mar sheòrsa de *security of tenure*
mar a fhuair Raghnall Mòr Àisgearnais bhon
Leadidh a chuir na craobhan mu Loch Sgiobort:
cha robh i cho dona sin.

'S bha dhà no trì rudan agam ri smaoineachadh mun
   deidhinn:
bean agus sianar chloinne, mar eisimpleir,
's an lùb a tha tighinn nam dhruim le aois,
's cho beag iarrtais a th' agam a dhol a Chanada,
no dh'obair do Sutherlands anns an Àth Leathann,
no do dh'Oilthigh na Gàidhealtachd,
no sìos dhan chladach 's mi cho sgìth,

's chan eil mi a' faicinn co-dhiù dè an cron a nì
coimpiutair agus clò-bhualadair dathach -
nach eil trì no ceithir agam fhìn an seo cheana,
agus smaoinich air a' chothrom a bhios na lùib:

fiosrachadh sa bhad air an eadar-lìon,
do bheachd, dìreach mar siud, sa bhad
a chur air p-d chun a' BhBC,
gun ghuth a ràdh mu chothroman obrach:
*tele-cottaging* anns gach gleann -
caoraich sa mhadainn agus coimpiutair feasgar -
och, hud, chan eil crìoch air na h-argamaidean.

'S mar sin,
seo mi a-nist, a chàirdean:
saor le mo choimpiutair, 's mo dhàin.

Uachdarain! Phwa!
Ann am Baile beag na Cruinne,
nach cluinn sibh mèilich mhùirneach nan uan,
's iad a' ruith nan leum, air an rùsgadh, às an fhaing?

# A' Seinn ri Taobh na h-Aibhne

Air Latha Cèitein
laigh mi leat
ri taobh gorm na h-aibhne,
anns a' chòmhnard uaine
far am biodh na fèidh
a' langan.

Bha do shlios
mar eal' air an t-snàmh
's d' fhalt trom, trom dualach
a bha ciabh-bhuidhe dualach
mum ghualainn gam theannachadh.

Na speuran
os ar cionn
dol timcheall nan car a' mhuiltein,
gorm, ars thusa,
liath, ars mise, gormliath,
liathghorm …

's aon àm
theab sinn a dhol bun-os-cionn dhan abhainn
's nuair a chrìochnaich na h-òrain
laigh sinn greis san t-sàmhchair,
ar sùilean a' deàrrsadh mar grian is gealach,
's do ghàire fhathast farsaing na mo chuimhne,
is sùbh-chraoibh do bhilean a' fosgladh a-rithist
agus sinn a' seinn,

gu milis

a-rithist agus a-rithist

O, thèid is gun tèid …

# Ioma-chruthachd

Chan aithne dhomh àit' anns nach eil thu.
Nuair a chì mi cat na laighe sa ghrèin,
sin thu. Nuair a chluinneas mi eun air ghleus,
sin thu. Nuair a chì mi itealan a' dol dhan àird an iar,
sin thu.

Chan eil abhainn ann an Uibhist nach eil thu snàmh.
Chan eil fòn a sheirmeas nach e thus' th' aig a ceann.
Chan eil aon nì ann nach eil thu ann.

'S a dh'aindeoin
ioma-chruthachd àlainn an t-saoghail,
dhèanainn e na fhàsach aognaidh:
leagainn gach Amazon,
thrèiginn gach Cuilitheann,
mura samhlaicheadh iad thusa,
a ghràidh.

Mar Bhan-Rìgh Shomhairle
ann am Poblachd Shaor na h-Alba,
chrùnainn thu seangan an fhàsaich,
chrùnainn thu boinne na fairge,
chrùnainn thu duslach na talmhainn,

ioma-chruthachd na h-aon tè àlainn.

# Aisling

Dhùisg

mi ann an taigh a' Bhlàir Bhuidhe,
ann an ciste ghlainne, no ciste na misg,
no ciste na Beurla - O, dè an diofar? -

ann am meadhan na coille,
gun ubhal,

a' feitheamh

ri prionnsa (no co-dhiù bana-phrionnsa)
nam pòg, no trompaid

no còrn na Fèinne,

a shèid aon latha,

's cò bh' ann ach mo nàbaidh Eàirdsidh Beag
a' dol gu deas
air a' bhaidhsagal 's e cluich na pìoba:

*Caismeachd na Circe air Mullach na Sitig,*

's dh'èirich mi air m' uillinn
a dh'fhaicinn na mìorbhail
a bha dol seachad air mo bheulaibh,
nach fhaca mi riamh roimhe gach là.

# Am Bogha-fhrois

Siud agaibh na seann rudan seachad, ma-thà:
an ceòl 's an t-uisge 's an dìle dheàrrsach,
anarags is sgòthan is sgàileanan is fiù 's bòtannan.

*Done and dusted:*

na làithean-saora bog fliuch ud anns a' Ghearastan;
nad sheasamh bog fliuch a' gabhail fasgadh
o na clachan-meallain 's on ghaoith 's on t-sneachd
ann an doras Woolies ann an Inbhir Nis, no fon
Hielanman's Umbrella ann an Glaschu
's agad ri èisteachd ri na tràillean ud a' caismeachd seachad
's a' sgalathartaich, *"Follow, follow, we will follow Rangers ... "*

oir thill an calman tioram gu tìr
's tha uile rud dìreach *hunky-dory* a-nist,

mar Uibhist a Deas nuair a bha mi beag,
mar làmh m' athar 's sinn ag iasgach,
mar làmh mo mhàthar a' ruith trom ghruaig,
mar phòg mo bhean-chomain,

oir cha tig an tuil gu bràth tuilleadh,
a dh'aindeoin nan tsunamis ud air an teilidh,
a tha cho fad' air falbh, air taobh thall a' bhaile.

# Breabadair

*Air Latha na Bàrdachd 2004 chaidh iarraidh orm fhìn 's air Meg Bateman, Maoilios Caimbeul agus Aonghas Dubh MacNeacail pìos bàrdachd a dhèanamh ann an 10 mionaidean air prògram Choinnich MhicÌomhair air a' BhBC. Chaidh am facal 'breabadair' a thoirt dhòmhsa, is Coinneach ag innse ro-làimh gur e breabadair ('weaver') a bha na athair, ach nach robh fhios aige air a' Bheurla air an fhacal nuair a bha e beag. Thuirt am faclair, ge-tà, 'breabadair' = 'a spider', agus mar sinn nuair a chaidh faighneachd dha, fhreagair Coinneach còir, "My father is a spider." Thug sin nam chuimhne Kafka, agus seo a' bhàrdachd!*

"My father is a spider," ars esan,
mar Kafka a' chruth-atharrachaidh
ann am bothan a' bhàis -

an Roinn Eòrpa a' laighe lom, fàs

mar bheairt
gun bhuille, gun bhiorain, gun bhreacan,

's a' bheairt ann am bothan beag na Gàidhlig -
air cùl mòinteach Bharabhais (canamaid)

a' dùsgadh na damhan-allaidh,
gach spòg sheang a' sìneadh a-mach
mar sgiath muilinn-gaoithe
a' dol timcheall nan speuran
mar dhamhan-allaidh, mar dhia, mar dhonas,

mar bhreabadair,

"My language has become a spider," ars esan,
a' snìomh lìon brèagha an lùib an duslaich,
a' breabadaich beò le buillean na beatha,

a' fighe clòimh ar cànain air a' ghaoith,

plaide aotrom air leabaidh a' chruth-atharrachaidh.

# A' Tilgeil na Cloiche

*"The unbearable lightness of being"* : Milan Kundera

Bhiodh Mìcheal Angelo
dìreach a' toirt an truimeid às a' chloich.

Bu mhath leam a bhith air fhaicinn
aig Geamaichean Àisgearnais
am measg nam foghainteach:
Eachann Stab a' tilgeil na cloiche
mar iteig dha na speuran, gaisgealachd
an aghaidh grabhataidh.

A' tilgeil Chùil Lodair dha na speuran,
mar a dh'fhalbhas bailiùn air latha fiadhaich.

Aotromachd
gar tàladh, eachdraidh air a fàgail,
is sinne seòladh àrd, le grabhataidh na cloich.

Mar a thuirt an tè eile:
*"Obedience to the force of gravity. The greatest sin"*:
Simone Weil.

# An Dealbh

*Mar a ghabh an dealbh thairis am beatha*

Nuair a lorg iad an dealbh
anns an drathair
cha robh ach aon rud air an aire:
cò iad?

Am fear aosta feusagach
agus an tè òg aig uillinn
a' coimhead a-mach dhan chamara
mar rabaid air a glacadh ann an toirds.

Bha gleoc os an cionn
a' sealltainn trì uairean,
agus dìtheanan sgaoilte
air a' bhòrd rin taobh.

Agus lean an gleoc agus na dìtheanan
an dithis a fhuair an dealbh fad am beatha,
gun fhios aca fhathast cò bh' anns an dealbh.

Iad fhèin,
thuirt na h-oghaichean
nuair a lorg iad an dealbh
anns an drathair, agus esan na shuidhe an sin na fheusaig
agus ise, fhathast òg, na seasamh air a làimh chlì,
aig uillinn.

# Creatio ex Nihilo

B' fhèarr leis a bhith a' faicinn neo-nithean:
an òirleach ud dha na speuran gorm
far nach robh neul no sgòth,
am baile nach robh ann,
an aisling nach tàinig.

Na laighe san fheur,
sop na bheul,
a' coimhead suas air gormachd
gun chrìch.

Aon uair,
chaidh e a-steach a rùm a mhàthar,
far an robh am mascara 's an lipstick
nan laighe aig fois,
ach nuair a thog e am pùdar
chaidh e na dhust, mar iolaire
a' dol à sealladh.

'S latha eile,
aig na giomaich,
nuair a b' fheudar dha spòg a spìonadh
mar a spothadh tu uan,
chunnaic e nì a' dol na neoni,

is thuig e beagan dhen an fhìrinn:
gun robh an caochladh cheart cho coltach.

# Rathad na Dròbha

Tha e nas caise,
ach nas dearbhte
aig a' cheann thall:
chan ann gun adhbhar
no gun eòlas,
gun fhios geamhraidh,
a thagh na dròbhairean an taobh seo,
àrd os cionn a' ghlinn,
àrd os cionn a' chuain,
tron choille,
tarsainn nan aibhnichean,
nan tuil.

Oir an dòigh seo
bha ionaltradh is fasgadh
ged nach eil bothan no baile
ri fhaicinn an-diugh,
fad' o dhaoine,
fad' o chobhair,
fad' o eud,
fad' o chunnart,

ach a' leantainn slighe làraichte,
slighe aithnichte,
dìreach iad fhèin 's na coin 's an crodh dubh,
dìreach iad fhèin 's na coin 's an crodh dubh
dol àrd gu tuath
is ìseal gu sear,

a' feadaireachd (tha fhios) le eagal,

a' seinn misneachd,

sàmhach ùinean mòra

luaisgeanach

anns an leth-sholas 's na beathaichean fhèin

a' geumnaich

nan cuimhne, nan iarrtas,

airson Uibhist fad' air chùl no 'n Eaglais Bhreac fad' air
      fàire

mar a tha mise nochd

nam leth-Ghàidheal 's nam leth-Ghall,

àrd gu tuath,

ìseal gu sear,

aonranach, a' dròbhadh mo bhriathran

air ais 's air adhart

anns an dorchadas

eadar feadaireachd is seinn

gun fhios a'm a bheil mi falbh le crodh

no tilleadh le cairbh,

a' buachailleachd mo bhàrdachd,

a' cròdhadh nam briathran,

dìreach mi fhìn 's mo chù 's mo bhò bhàn,

dìreach mi fhìn 's mo chù 's mo bhò bhàn,

dìreach mi fhìn 's mo choimpiutair 's mo dhàn,

dìreach mi fhìn 's mo choimpiutair 's mo dhàn.

# Hirt

Clann Dhè a' sleamhnachadh sìos na creagan
nan cànan fhèin.

Os dèidh Chùil Lodair,
ràinig na Saighdearan Dearga
Hirt, a' coimhead airson Prionnsa
nach fhaca na Hirtich riamh
ann an eaglais no air creig.

Choimhead
na daoine beaga preasach,
nam brògan fulmarach,
air na saighdearan
mar gun tàinig iad às a' ghealaich,
's choimhead na h-astronauts air ais
le iongnadh air na creutairean coimheach.

Chunnaic mi an samhail a-raoir air an sgrìon,
Bush agus bin Laden air àrd-sgallan a' bhàis.

# Nuair a Thìll am Prionnsa a dh'Alba, 200?

'S gann gun do dh'aithnich mi an t-àit':
cabhsair a dh'Èirisgeigh,
Pàrlamaid an Dùn Èideann,
's Derby trì uairean sìos an M1.

Thill mi mar bhòcan, mar thaibhs -
dìreach mar a dh'fhalbh mi -
san oidhche a' seòladh siar
air CalMac às an Òban a Loch Baghasdail,
's càr Sandaidh Lindsay
às a sin thar a' chaolais -
mionaid gu leth a thug e -
a Choilleag a' Phrionnsa,
's dhan phub - Am Politician - airson
bourbon.

'S às a sin
rinn mi air Mùideart,
far nach robh aon cheann-cinnidh a' feitheamh
ach sàmhchas is aonta nam marbh
's mo rùn geal òg
air spiris cloiche àrd
mar chuimhneachan air mìle blàr
os cionn Ghleann Fhionghain
's trèan-smùide (nach iomadh tè a ghabh mi!)
an luchd-turais dol seachad le smèid nan camarathan.

'S shiubhail mi
air a' bhus dhan Ghearastan nach robh ann
a' dèanamh air Dùn Èideann
far nach do dh'aithnich duine beò mi am measg nam marbh
aig àm na Fèill,
far am faca mi, tro ghlainne ghlaiste,
na soitheachan airgeadach a dh'fhàg mi,
mas fhìor,
aig Lady Grange a' chiad turas mu chuairt
ann an Taigh-tasgaidh Rìoghail (nach ann orr' tha 'n aghaidh)
na h-Alba (nach buin dhaibh a bharrachd).

'S dhìrich mi 'n cnoc,
far am faca mi chauffeur-driven limousine
aig Parliament Square ('s e democrat a bh' annam riamh)
a' feitheamh ri Pròbhaist a' Bhaile,

's dh'èigh mi ri fear na h-aide,
"One return to Derby, please -
and make it snappy!"
's dh'fhalbh sinn, aig astar an dealanaich,
sìos an M1
a' stad aig McDonalds (na gaisgich bhrèagha)
taobh muigh Chathair Luail
son tiops
ged a dhiùlt mi an sabhs dearg

's ràinig mi an roundabout
far an do thill mi a' chiad thuras,
's bu mhòr am beud
gun do dh'èist mi riutha,

air ais
tuath
dhan fhuachd
's dhan uisge
's dhan ghearain
gu tuath tuath tuath

far an do sheas mi ùine mhòr
anns na clachan-meallainn
anns an t-sàmhchas leam fhìn
a' coimhead orra uile:

Clann Chatain an t-Sròil

Clann Ghriogair nan Gleann

Clann Mhuirich nam Buadh

Clann Fhionnlaigh Bhràigh Mharr

nan cloich,
marbh,
mar tha mise,
air mo sgàth-sa,
gun sìon san t-saoghal
ach lèine
a chòmhdaich mi le fuil Rìoghail nan Gàidheal.

# Aon Oidhche Dhòmhnaich an Dùn Èideann

Phòg mi thu anns an dìle dheàrrsach
air oidhche foghair an Dùn Èideann,
O Lionda bhòidheach à New Jersey:
bha an sàl milis air ar bilean
an aon mhionaid bha sinn còmhla,
ach bha mhionaid sin làn dòchais
(ged nach ann dhuts' no dhòmhsa)
gun seasadh gaol a dh'aindeoin dòrtadh.

Chì mi 'n-dràst thu na mo chuimhne -
sùilean donn is d' fhalt dubh dualach
a' sruthadh san uisge dhrùidhteach
sìos gu sealladh bàn do ghuailnean,
's do bhilean dearg a' gealltainn dhòmhsa
na bith-bhuantachd òig uaibhrich,
leis an fhacal mìorbhail 'Boston'
air a chagairt na mo chluasan.

A, Ameireagaidh, agus do bhilean milis
gam phògadh fliuch ann an Dùn Èideann;
an saoghal a' dòrtadh oirnn às na speuran
air aon oidhche Dhòmhnaich an Dùn Èideann.

# An Stoirm

*Rinn mi a' bhàrdachd seo ann an ochd earrannan goirid os deoghaidh an stoirm uabhasaich aig toiseach 2005. An samhradh roimhe sin bha mi air a bhith air Cuairt nam Bàrd ann an Èirinn còmhla ri fear dhen teaghlach a bhàsaich anns an tubaist, am pìobaire Calum Caimbeul.*

1.

Tha na seantansan air an reubadh,
a h-uile facal air an draghadh às an ùir,
ainmearan is buadhairean is gnìomhairean
air an tilgeil bun-os-cionn

's na cabhsairean a thog sinn air an cliathaich
mar gun tàinig fuamhaire gun tùr
a thilgeil nan clach mar a sgaoil sinne
air Dresden no Hiroshima
pùdar a sgrios gach cathair-eaglais is pàiste
a chaidh a-riamh a chruthachadh

's gach nì a-nist cho cugallach,
mar gun tug cuideigin piocaid gu bun an taighe
a tha a' crathadh ro gach oiteig gaoithe mar a shiabas
luideag air a' chladach air neo briathran ann an taigh-seinnse,
seanchas a dh'atharraicheas an saoghal.

2.

Tha mi a' cuimhneachadh Vietnam
mar Èden a chaidh a losgadh, 's 'eil cuimhn' agaibh
air an tè òg ud rùisgte a' ruith 's na lasairean ag èirigh
os a dèidh mar bhreitheanas oirnn uile,
a thug oirnn stad?

'S a-nist tha na h-eòin a' ceilearadh
anns na meanglain thorrach anns a' choill-uisge
a tha sìneadh eadar Haiphong agus Phnom Penh
a dh'aindeoin gach unnsa napalm
a sgaoil am bàs gun mhodh, gun iochd.

3.

Mar a tha cuimhn' a'm air Calum Chaluim Iain
air sràid ann am Baile Àtha Cliath
's a mheuran a' dèanamh port nach tàinig
eadar statue Joyce agus Grafton Street,
's gach caismeachd is ruidhle eadar
Gaillimh mu Dheas is Uibhist a Deas
a shèid suas sinn dha na speuran
mar gun robh sinn mar an dreathan-donn air mullach na
        h-iolaire
's a' ghrian daonnan air ar guailnean:
nach ann a bha an teas, 's an sealladh 's an lèirsinn!

4.
'S thuit sinn gu talamh
mar gun tàinig urchair o fhear nach robh a' sealg
ach a bha dìreach a' straighlich mun mhonadh
gun adhbhar,
gun fhios carson ach gun robh gunna aige
a loisg - mar gum bitheadh gun fhiost -
's a thug a-nuas gach eun a bu chiataiche sa chruinne-cè,
a thuit mar chlachan a-mach às an iarmailt:
an gille-brìghde 's a' churracag 's an iolaire mhòr
's an uiseag riabhach dhonn 's an cainèiridh òir
a bha dol seachad aig an àm gun for air cèids
no cunnart no bàs.

'S nuair a choimhead sinn suas
bha an t-adhar gorm
is lom is falamh,
mar nach robh sìon riamh ann.

5.

Dè an seantans
a thuirt mi riut, a ghràidh,
an latha dh'atharraich an saoghal?

Dè
am facal a rinn ciall?

An
do
phòg
mi
thu?

Am b' e suathadh mo theanga air do bhilean,
air neo gealladh no dòchas no ìomhaigh
a chruth-atharraich ar saoghal, agus sinn teann
an seo, com ri com, sliasaid ri sliasaid, mar aon
fheòil is spiorad, mar thalamh is cuan,
mar mhìle eilean air an ceangal ri cabhsair a tha
a' ruith 's a' ruith 's a' ruith, mar a ruitheas tìm no bàs
no gràdh?

6.
Nuair a thilgeas tu ainmear a-mach à seantans,
dè th' air fhàgail?

Nuair a chrìonas na buadhairean 's na gnìomhairean 's
nuair a shìolaidheas na riochdairean 's na cinn-bhriathair 's
nuair a thuiteas na roimhearan 's na tuisealan
air falbh
mar ghainmhich na mara,
mar na machraichean 's na taighean
dol fodha

sa mhuir

's gann gu bheil cànan air fhàgail. Mar gum buaileadh
tu am bòrd-iuchrach gun smuain no gun ghliocas
a"^89         (-=h%r         :bwq)_;mk
nan laighe timcheall mar na creagan mòra 's an fheamainn
's an sprùilleach sgapte sgaoilte a chunna mi
air cabhsair Ghriomasaigh 's air machaire an Ìochdair.

7.
Tha am fuamhaire gun ghràmar
a dh'aindeoin an fhuaim.

Ann am Baghasdal an latha eile
chunna mi rud iongantach: dreathan-donn
na sheasamh air seann chrann, 's tha
fhios gur e dìreach an dòigh a bha
a' ghrian a' dèarrsadh tron uisge mhìn,
ach bha e mar gun robh an t-eun
a' stiùireadh a' chruinn
tro ghainmhich na machrach, is shaoil leam
gum faca mi fìon-lios ag èirigh os an dèidh
's gun tàinig na h-achaidhean eòrna beò,
a' dòrtadh le Kerrs Pinks air machair
an Leth Mheadhanaich 's an sluagh
air ais nam mìltean - nan ceudan mhìltean -
a' gàireachdaich òg agus bàn agus fallain mar
nach tàinig stoirm no Seumas Loch no Sellar
no trainnsichean mòra na Somme no am *Marloch* riamh
airson an toirt air falbh mar chreachadair buan na h-oidhch'.

8.

Chruinnich
mi na clachan
beag is mòr is meadhanach
's rinn mi gàrradh dhiubh a-mach à briathran.

Balla-dìon na mara,
cabhsair
thairis air stoirm is gailleann.

Òran an aghaidh an ràin,
seantans air an duilleig bhàin,
port an aghaidh an t-sàil,
ceòl an aghaidh a' chàis,
cur an aghaidh an fhàis,
glaodh an aghaidh a' bhàis.

# Air an Rathad gu Iericho

Sean 's gun robh mi,
thog mi orm -

's chan e nach robh deagh adhbhar agam
tadhal aon uair eile air an dachaigh
a dh'fhàg mi nam làn-òige,

's chan ann airson dùthaich fhad' às
am measg mhucan, ach airson baile mòr

naomh cumhachdach.

Nach robh cosnadh ri lorg aig an àm,
's gun dad a' dol ann am baile mo bhreith
airson fear òg le clann mu chois
ach cumhangais na buaile?

'S rinn mi air Ierusalem
(no air Inbhir Nis, chan eil buileach cuimhn' a'm)
's shoirbhich leam, ged 's e mi fhìn a tha ga ràdh -
"À saothair thig buaidh," mar a chanadh na bodaich! -
's na mic a-nist air an ceann fhèin 's na h-igheanan
a' breith cloinne, mar bu dual.

Gus an tàinig an deagh naidheachd
a dh'fhàg mi air mo thuras air ais dhan eilean -
gun robh ogha mac bràthair mo mhàthar
air an t-seann dachaigh a dhèanamh an-àird
's e 'g iarraidh ormsa tighinn a bheannachadh an taighe
mus tòisicheadh a' chuirm-bainnse.

'S bu mhòr am beud
nach d' fhuair mi riamh ann
le mar a ghabh iad orm ri taobh an rathaid,
gam bhualadh 's gam bhreabadh 's a' goid na bha na mo
    mhàileid,
ged bu bheag e -

ola-tùise airson beannachadh an taighe
is sporan beag de dh'airgead airson an fheadhainn òga
a thòiseachadh air an t-slighe -

ach rùisgt' is goirt is gu bheil mi
on a leighis an coigreach mi,

seo mi a-nist aig iomall a' bhaile,
mo chluasan air glòir na bainnse
's an t-òran nuadh air mo theangaidh.

# Inwycin

Thare mony an aim can be ettl't at throu the owersettin o poesie forbye garrin the beauty o a ballant kythe tae readers at coudna tent o't in the screiver's leid. It can upbigg the fouth an fairheid o a nation's leid an leiterature: wi naturaleisin the brawest warks frae anither cultuir we shaw our ain leid a worthie cleidin for the fremmit screiver's thochts, an wi finnin or devisin the wirds tae expreme thaim we mak the walth o our ain leid mair fouthie nor afore. It can rax braider the wyve o contacs an alliances atweesh the owersetter's leid an ithers, ilkane teachin an lernin frae aa the lave. An forbye it can gang a bonnie gait tae the reconcilement o cultuirs wi no muckle kennin, or aiblins no muckle likin, atweesh thaim.

For aa thae raisons, the owersettin o poesie hes taen a braw an wechtie pairt amang the wark o Scotland's makars o the twentiet an twenty-first yearhunners; but in the owersettin atweesh Gaelic an Scots, it is the hinmaist at hauds the maist importance. Ane o the aims o the Scottish Renaissance wes tae pit an enn tae the tradeition o ignorance an mislikin atweesh the Heiland an the Lawland brainches o Scotland's national cultuir, an tae gar aa fowk see thaim for jist

# Inwycin

that: twa brainches o *ae* national cultuir, insteid o
sinnert an separat tradeitions in tungs unkent tae ither.
Hugh MacDiarmid's antrin owersettins frae Gaelic
bardrie o sindry times, Douglas Young's bonnie Scots
transformins o sangs frae Sorley MacLean's *Dàin do
Eimhir*, George Campbell Hay's free an splendant uiss
o aa three leids o the kingrik for his bardrie an buskin
out o his Scots wi Gaelic rhythmic patrens, Alex Scott's
owersettins frae Derick Thomson, Roderick
Macdonald's randerin o Burns' sangs intae Gaelic
verses for singin tae the sel an same tunes, William
Neill's uiss o his lernit Gaelic for bardrie nearhaun as
braw as whit he screivit in his natif Scots: thon makars
an ithers forbye hes duin a bonnie feck tae upbigg the
kennin o Scots, Gaelic an English poesie as brainches o
the ae common Scottish literary tradeition. My ain
Scots owersettins frae the Gaelic ballants o Angus Peter
Campbell is boden here for a wheen mair chuckie-
stanes laid on the cairn biggit by thon mauchty
foregangers.

A ballant canna be owerset wird for wird: laestweys, no
gin we ettle tae bring furth a ballant, an no jist a "crib",

in the owersetter's leid.  An the owersettin o poesie is no
a maitter o finnin some kinn o mids atweesh the claims o
verbal accuracie an bonnie style: thare nae sic mids tae
finn, for the twa claims hes nae trystin place.  Raither,
the darg is tae uise aa the graith an gear o the dale-leid
tae expreme in the new, for a different cultuir, the thochts
o the oreiginal makar.  Scots an Gaelic is leids wi lang an
splendant tradeitions o bardrie, an onythin at can be said
in the leid o Alasdair Mac Mhaighstir Alasdair, Rob Donn
and Somhairle MacGill-Eain can finn a gleg repone in
the leid o Robert Burns, Robert Louis Stevenson an Hugh
MacDiarmid - an the ither wey roun forbye, in course.
An houbeit I hae nae skeel o oreiginal poesie, the
privilege o owersettin the bardrie o Angus Peter
Campbell hes allou't me tae gie his thochts a vyce in the
mither tung at I coudna gie my ain.  Lat this buikie staun
for anither link in the chyne haudin Gall an Gael
thegether in the new Scotland!


                              J Derrick McClure

# Inhaudins

# Winnock

The winnock wes lockit wi five padlocks

but sen licht enew wes teemin
throu the ither winnocks
I never fash't mysel tae lowse
the brods an nails
on thon yin
at gied me ne'er a glisk o the wast

till thon day
whan I read hou St Patrick coud speak tae the birds,

an leain the claut-hemmer doun whaur it wes,
aa ready,

I funn a feather in the sheuch
(a wee green lintie a car hed hut)

an wi jist the ae soup
the winnock crottled awa,
the wuid crynin tae sparpl't moul,
an the locks like a lintie tweetlin o freedom.

# The Island

Langsyne I read o a ferlie:
hou gravity's nocht but a fiction,
like thon ither speil
o the Son o the Keing o Ireland,
hou at lang an at lenth, he waddit the maiden.

An Island thare wes forbye
whaur an abbacee-tree wes growein
but ae winter
thare cam a cheil wi an aix
an cuist the tree doun tae the grunn
wi the ae straik
an in maugre o ilka ettle an ware
it never grew ony mair.

An for aa I liggit lik Newton
ablow the tree ayebidinlie
the sweet aiple o Gaelic never fell,
no even for gravity,
ontae the brou o my skull.

I apen't my een
an thare it wes still on the tree,
as gin gravity hed whumml't heelster-gowdie,
an Eve hed become the maiden,
an me the son o the Keing.

# Echo o Wirds

Mynin hes gane furrit
an is stuiden at the sheddins
wi the white bridal veil ower her heid.

She's up on the braeside seekin the kye,
she's doun on the machar wantin a hey-sned,
she's airtit norlins on the motor-bike at cowpit.

Like the scog o the sun
she's streikit afore me.

Like the echo frae the craigs
she cries on me.

Furrit she's gane,
like the mairchin o thousans,
like a wairnin, a spaein,
tae gar me ken,
at the sheddins,

whitna gait she gaed.

# Key, Door, Hous

1.

Here the key tae the door.

The door's no lockit ava,
houbeit ye canna win throu it wantin a key.

Ye tak the key in your haun,
but ye bude tae trou it can apen ilka door.

Dinna tyne the key,
for gin ye tyne it ye'll finn ye're lockit out.

2.

Ye chap on the door.

It apens.

It steiks ahint ye.

3.

Ben the hous
thare a haep o treisuir:
auld sangs an new bardrie.

Aa the ballants
is screvit aareadies: the darg for you
is tae finn the buik wi your name on the binks
an tae read the sangs in the hert o't.

Ye'll no can read thaim
afore ye screive thaim.

Thare a neb on the key
tuimin reid ink.

Gae til't.

Screive.

# Getherin

I wes out on the muir
getherin peat: I full'd
a seck.

I wes doun on the shore
getherin dulse: I full'd
a barra.

I wes out on the sea: I full'd
a creel.

I full'd my heid wi lear,
as the trenches wes fullin wi corps.

An here me nou wi a seive,
syein it, cauf an wheat.

# The Clachan

Thare mair nor larachs here
tho thare neither kye nor clerics in the place.

The merch-dyke stauns eenou,
strang an siccar

as gin my granda wes leivin still
an bude tae pit a travise tweesh the cou

an the bull, tho Bill Gates is the bailie nou
an the warld belangs us aa, fowk says

an - wi credit-cairt - we hae the governance
ower ilka croft an heirskip at taks our ee.

Lik Leddy Cathcart dot com
ilka nicht whan I'm faain ower
the white sheep -
Heilan Dollys -
is meh-in awa in the park,
pets wi nae uiss, lik baests at's tint thair seck.

Thare the cast o a clachan in this clachan
lik the cast o a man in me.

# Hairstin the Ocean

The peat-hag hes chynged tae an ocean,
an spad an peat-airon aa gaun doun
ablow my feet.

The edge o the bled,
for aa the sherpenin, aa throu the spring,
winna tak haud o naethin but saftness an tuimness.

The airon
platches on-hauden, on-sped,
a wusp soupin the sea.

Wes it aye jist virtual reality,
wi the peats faain doun
like greeshoch intae the bucket?

Och, wad airon no be better on heather an bent-girss
insteid o peelin the sea lik a haverel wantin howp,
hairstin for aye the watter at dreeples atweesh my taes?

I'm drounin here as I'm strauchlin deleerit
tae hairst the Gaelic
frae the gret muckle ocean o English.

# The New Furrs

*"We screive tae win the sanction o our forebeirs":* Czeslaw Milosz

Because the lann wes fremmit
I tuik nae tent at first
that plouin, sawin, mawin
wes thare afore me: no a styme
o horse or Hielandman or tractor;
laestweys, no as I wad ken thaim,
wi aathin cauld as that, an trig, an traikit -
birzin a button an gaun 'click'
wi a helmet ower your lugs an a bourach
o different things at yince forenenst ye
amang picturs an wittins an dirdum

or I mynit

at thon's hou it wes langsyne an aa,
the times ye war feerin, the horse
nicherin afore ye,
the muckle feet o't plodgin in the glaur
an the britchins, haims an theets
wi thair clitter an thair clatter

an the braith

risin up douce in the dawin

an the couter scartin the sannie mouls norlins an
southlins

an yoursel gaun eastlins an wastlins
eastlins an wastlins eastlins an wastlins
wi aiples o hurdies soumin forenenst ye
till ye stappit

at lest, at the southlin enn o the park,
your een airtit back ower moul an yird an sann an machar,

but furrit tae the furrs at kythit nane
but whaur maet wad growe: as gin 't war as simple as that,
ye coud growe tatties or corn or bere
wi nae history, nae howp, nae daith for hairst
lik me sawin an mawin the day
on this computer,
plouin a warld-braid machar,
eidentlie lik my faither,
tweesh mynin an makin.

# The Gait tae Heiven

In the photie
my faither is yinger nor me.
A blue sea ahint us,
saft girse (aye, I myn o't) ablow our feet,
his hauns roun my shouthers
an no a thocht atween's at nocht but this wad bide.

A day in Mey it wes,
for aye I hear the gowk
wycin us intae a winter
at cam as swippert as gin a click
o the camera button gart time freeze
for him an for me nou the lang lenth
'tweesh eild an youthheid nirlin doun on the side ayont
an his hauns aye happin my shouthers,
lattin me gae, houbeit wi a grup sae steive.

# Luve o my Hert

I hae Fortune an Weird in my bucht,
Whit winnerfu seil nou is mine,
An you liggin here at my side
Like life doun in daith's oxter lyin.
The sun leamin fair on the nicht,
A thistle like roses alowe,
The pousion tuimed out frae the aiple,
The glaury cley turn't tae gowd.

Yoursell it wes gied me my mense,
Yoursell it wes gied me an airt,
Yoursell it wes gied me a wey,
An an anchor an hyne tae my bait.
Ye're like bog-cotton white on the muirs,
Like the bard's meed o gowd in my pouch,
Like a bird tovin heich in its chirm,
Wi nae ill in't, nae wytin, nae tash.

Nae mair nou the thocht I coud thole
Hou I'd fare war ye no tae my haun,
Like a birlinn agley in a gale,
Like a ship sinkin doun tae the grunn.
Like a bairn wi nae mither, nae guide,
Like a sclave wi nae ettlin, nae howp,
Oh my gowdie, it's you at's my steerer,
My sail an my hyne an my warld.

Oh sairie the weird I wad dree
Gin ye wad forhou me, my jo,
'T wad brak baith my haill an my hert,
'T wad connach my licht an my day.
The morn wad be mirk as the nicht
An lauchter the geckin o daith,
My bait on the skerries o teen,
My sangs' warld endin in clairt.

But aye throu the lenth o my life
Fou heich wull I sing tae your praise,
An I'll kerve out the lines o my sang
O the funns o your luve an your care.
Ye folla'd the Captain on buird,
Ye bou'd tae the Rock o Glore,
Ye awnit the Christ tae be God,
An the lave like a hansel cam doun.

# The Chief o Glengarry

Here in Sleat -
richt in the hert o the Gaelic Renaissance -
thay hae pit this deil o a man up on the waa
in his kilt an plaid:
Colonel Alastair Ranaldson MacDonell, 15t Chief o Glengarry -
the cheil at connacht Clan Donald.

The cheil at made Knoydart a muin.

The cheil at made o Glen Nevis a wastrie.

An beside him,
ablow the gless o jidgement,
thare the teethin-ring o siller his bairns
wad chow whan the ruits cam throu
while aa his MacInnes tacksmen wes chowin
shalls on the shores o Loch Hourn.

The pictur wes pentit in Rome
wi him on the Grann Tour
afore he wan hame throu Versailles
an nou here
wi nae grassum, nae mail, nae cottars.

Alastair o Glengarry,
the day ye brocht greet tae my een.

# Wirds

At the time o Global Warmin,
wirds moutin.

Fluids o thaim teemin
doun frae the lift, the Atlantic
bullerin, the twa muckle Arctics
tirr't an sypin.

We gied nae honour tae the wird
an he moutit afore our een:
we reivit awa his bunnet o bardrie
an coatie o sang, till at lest
thare he wes stuiden afore our een,
heid loutit laich, in his draaers.

Hus it wes at wes shamit.

An syne we tuik tent o whit warm it wes,
jist afore we drouned.

An aa the time we war gaun doun
we war playin muisic: Joni Mitchell
wi *Chelsea Mornin*, an her forbye,
jist like the ither lass,
brocht greet tae our een.

# Fairies

Thare wes Freud an Auschwitz
in the knowe o the nicht
but it's no like my ain time
hes lows't thaim tae the licht

wi thair electronic texts
tae sparple the new speils
hou it wes Osama bin Laden
at stowe awa our freedom like the deil.

# Guesses

The wee rhymes turn'd
tae guesses, someplace
alang the gait.

Someplace atweesh
the scuil an my auld age
the hen gat tint:
chouk, chouk, chouk, chouk,
chouk me up the thing I drappit,

but whan I luikit ahint
the wirds wes aa tae smithereens
like a broken egg:
a wee bairn can heist it in his hauns
but a dizzen men canna heist it wi a rope.

An aye the guesses is raxin braid,
soupin ower mynin an howp,
gowpin the toun an the scog o the toun
(English an television)
like the whaul at gowpit Jonah:
it wes born wantin a saul,
it dee'd wantin a saul,
an it hed a saul athin't.

# Codes

Hou near I am tae a new code
the code o eild.

The lave o the codes
is wappit aroun me
like fur o a cat: my youthheid
roun my shanks, an thon new code
I funn at the Uni
ticht roun my heid, an my hert
tuimin ower wi the code o Christ.

An aa thon ither yins
I'll never can unfankle:
hou ayebidin Uist is
houbeit the warld's tae flinders
(or because o't ...)

An nou a new kincher risin on the waa-heids:
a plastic caird for free traivel,
ying fowk luikin at me as an auld carle,
crynin inweys like a wean.

O Lord, gie me the maucht o your code,
sae's it wad be, mauger my foresicht,
as ferliesome as the lave.

# Gaelic Bardrie's Caird

Sclimmin the brae,
brattlin an blatt'rin,
my pats an my pans,
my pegs an my preens,
my auld cannas tent
on my shouthers

an fine I ken I'm tint
in a time
gane by

an nae leivin saul tae speir for
my troke
my clouties
my duds
o coloured tin
that ye need
in rael sair fasheries jist
whan the electric braks doun an ye maun set a pat on the fire
or
whan the washin-machine braks doun, or the dryer,
an ye maun hing your breeks on a tree
or
whan the warld aa an haill's gaun whummlin tae smiddrins
wi the Twin Touers
an ye're gruppin the Lucky White Heather I gied ye
jist the same
free o chairge

for a handsel
wi nae speirin
nae thanks.

An sclimmin doun the faur side
o the brae
efter I've haen a smeek
an gat my braith back
an taen a dover
an screivit a ballant
an sung a verse
an risen frae the deid,

I see the toun ablow me
no luikin as gin it's needin me ava:
ilka housie trig wi 'ts satellite-dish,
an ne'er a single peat-fire,
an ne'er a sicht o a claes-raip,
an ne'er a horse, nor cou, nor muil, nor cuddy,
an aa my troke sae auld-warld-lik
like a caveman in a digital warld.

An yet, sen I hae risen frae the deid
I micht as weel believe,
an sen I hae come sae lang a gait
I micht as weel rowt out:
"Mac Mhaighstir Alasdair!
William Ross!
Dante!

"Mac Mhaighistir Alasdair!
William Ross!
Dante!"

An naebody steirs,
the dishes muckle-boukit wi Man U.

But I'll goller again:
"Pans!
New pans!
Victorious pans!
Blythesome pans!
Ringlin pans!
Vauntie pans!
Skinklin pans!
Crammasie pans!"

An ae back-door apens
an a wee, bou-backit carle keeks out
frae mynin

an thonder a ying lassie apens a winnock
an hings out
tae harken

an a wean at the edge o the causey

an a penter up on a ladder

an a nursie pittin her bag doun

an yin an syne anither
doors is apenin
auld wifies staunin beckonin

mynin o duddies o sangs needin sortit

an roustie pats o poetry

an crottles o Gaelic lyin about

an rhymes an rhythms an bardries boun for the wrack

in the lafts o the hert,
in the laichs o the spreit,
in the mirkie neuks o the harns,
in the press o the hert,
ablow the bed o historie,
in the mirkie trance o imagination,
in the patio-lounge o the television-lik life

roustie

broken

bruisel't

an here I am the lee-lang day or week or year -
throu a lang eternitie,
wi the threids o bardrie,
the clouts o rhyme,
the pegs o sang,

the preens o verse
in the cannas tent o Gaelic

at the enn o the toun
jynin an sortin
wi the claw-hemmer o wirds
wi the wadges o speaks
wi the risps o wyceheid
wi the chisel o historie
wi the nails o truith

on the stiddie o the caird at wesna nott
nor speirt for

or daith cam.

# Watlin Street

In aa the galaxies o heiven
see tae thon wee starnie: Litvinenko
pousion't in Lunnon
an the wee prayer waftin upwart like a gleid.

A haill warld it wes, dae ye no think,
eelie't awa thonder
whan I saw the fire-flaucht yestreen
gaun whummlin doun tae the wast?

An my wirds
lowein in the mirk, blinterin
mauger the speed o licht, the ae yird
we hae, lousome ablow my feet
an Watlin Street apen abuin our heids.

# K.C. Craig in Snaoiseabhal

Uist like heivin,
like a spase, like the sanns o the sea,
like a forest, a fauld,
like an angel, a tale,
like a sayin, a bodewird,
a threap, like Mairi
dochter o Alasdair, son o Donald,
son o Donald, son o John, singin
a waulkin-sang ayebidinlie
in ilka lann thare's ever been:
Bechuanaland, the Uinion o Soviet Socialist Republics,
Persia - think o the auld carles thare
stuid in the parks, wi a howe
or a harl or spade, an the auld wifies
in some African Snaoiseabhal, winnin:

        hù gò               hù gò
          hao ri ho rò          hù gò
wumman ower thonder  doun on the ebb
turn your fit tae me     gie me your haun

athort yearhunners
athort leids
athort the causey o daith
'tweesh Snaoiseabhail an the warld
like Tollund Man
like Wolfe Tone
like Yeshua winnin tae Christos

an oursels, as outlins, fremmit fowk,
as incomers, as scholars,
as makars, as sons, as dochters,
as heritors, 'tweesh wyceheid, unkennin an mynin,
cryin ben an staunin thare tung-tackit

at a cave
or a lair

o aa the muckle wirds sae canny cabrach cosh
camsteerie cadgie camsheuch

sylit scroggit
faur-sichtit
near-seekin
winsome wicht weel-willie wastie wallie

in her briest

on her lips

gaun doun intae his lugs, his heid, his hert
doun throu his veins tae the fingernebs
screivin the ballants I sang my lane
the morn:

        ò hoireann ò     sair is the speil
        ì hoireann ò     sair is the speil
        ò hoireann ò     sair is the speil

Sair an weary it is tae me,
hyne awa is the vision I see -
Rum I see an Eigg an Isla,
the Isle o Muck an the Laich Isle.
Uist o the furthie fowk I see
whaur they're haudin Michaelmas,
freein the horses, fillin the stoups,
Ne'erday will come wi drumlie wather
An aff the sailor will gang tae his ettle
On the muckle ship wi the flane-straucht cranns,
Aff on his vyage awa tae the Indies
whaur thay wad finn the silks.
Dowie it is I wesna tae get my wish:
at the Soun o Uist wad be a girsie park
an a hiegait richt throu it.
A horseman wad ride alang it tae me
on a horse wi shuin, branks an saiddle.

The seed o the wird abraird
whaur nae howp wes thare ava, on this horse
wi shuin, branks an saiddle,
the Microsoft Word 2000 at plantit this:

> fa liu o ho
> ho ao ri o ho ho ao o ho
> fa liu o ho

whaur there ne'er wes a styme - nane ava, nane ava -
afore thare cam

> hu go.

# Amang the Waur

Ye'd hear fowk sayin
thare wes a muckle bottle o Black Label
at Big Duggie hed hidden
amang the waur.

Ye'd see him on a winter's mornin
wi a muckle draucht on his trailer
his paraffin pipe
mairchin afore him like an angel
an whan he stoppit a meinit on the brae,
"A-HA" the fowk wad say.

Duggie my feire,
whit wes thare hidden
in thon muckle peat-seck ye cairried
on thon bou'd back o yours frae daw tae gloamin?

An whit wes thare hidden
in the furr o the machair
an you thare, doun on your knees
aa throu the spring an summer,
an amang the rucks
an ablow the sharn
an amang the stooks in the gray hairst
mauger aa your trauchle?

Wanricht,
Big Duggie,
an puirtith an skaith,
thon wes the hairst o aa your days,
the Black Label o dounhaudin.

# The Ballant

She died the streen,
in her sleep, tho naebody
heedit.

I didna tak tent o't mysel,
or I gaed daunerin past
her bothy the day,
an the curtains wes steekit
an the wee dug quaet at the door
follain me wi his een.

The auld carles uis't tae say
whit a fine braw singer she wes!
Diamond pendants
glentin frae her lugs
an her vyce spirlin heich tae the heivens
like a wattergaw.

She cairried the haill toun's history
in her thrapple, like an orchestra.

Her vyce hed Canada intil 't,
an aa the pride o youthheid
an honour o eild,
an whit a divert she wes forbye!
Thon time Big Alasdair
tint his cuddy ..!

But she slippit awa, quaetlins,
throu the nicht
whan we war aa sleepin.

An thare naethin left tae us nou
but the lilt.

# Uist's Fouth

*A curnie tradeitional verses at the fowk o South Uist speir't at me*
*tae scrieve whan at lang lest thay coft the lann for the commonty.*
*The fowk's purchasin company is caa'd Stòras ('Fouth').*

Bonnie Uist o the sangs,
Hear our lips liltin ballants,
'T is our freedom's new daw,
An our machar's our ain.
Sae heich is Ben More
An nou it's a sign
It belangs tae the steid
An the steid tae us aa -
        He-hò-rò, sic a day,
        Aa our fouth hes come tae's!

No the haill o our fouth
Is the machars o Uist:
No the heicht o our fouth
Whit we see wi our een.
No the moul by its lane
Is the aucht o ye aa,
But historie an sang
An the rhymes o the fowk -
        He-hò-rò, sic a day,
        Aa our fouth hes come tae's!

Aince langsyne, oh my feires,
It belanged aa an hail
Tae Leddy Cathcart
An John Gordon o Cluny;
Thare wes brawer days tae
Wi Clanranald o the bards -
Till the fleimins an bangstrie,
The puirtith an tinsal -
            He-hò-rò, sic a day,
            Aa our fouth hes come tae's!

But daw's on the easins,
An day's at the scraich,
It's aa in your aucht nou,
Your Uist o the Bards.
Mak a ballant, a sang o't,
A pibroch forbye –
Mak a dance an a prayer o't:
            My thousan blessins on Uist!

# The Waddin

First o aa, the piper,
naebody heedin his muisic, tho:
thay're aa jist goamin at the glamour o 's kilt,
as the lilt spirls up tae the lift.

The waddin's by,
an aabody's cantie: confetti
an camera-clicks, an the sun glentin
gowd.

An auld weida outside the palins
prayin for ilka blessin on the ying fowk:
her at wes bonniest in aa the warld
watchin time as it rins lauchin awa.

# The New Warld

Here the new warld nou
on our ain thrashel:
nae need o a Metagama
nor white hankies on the quay

for the ceilidh on the prairie
is in ilka hous's wee rooms.

Insteid
o hus
gaun tae America,
America
comes tae hus.

It's no the fasson nou tae leave,
it's fremmit fleimin fowk frae here,
the BlaikBerry in my neive
an Springsteen in my ear.

# Treisure Island

Glisterin
like Alvar Liddell's vyce on wintry nichts in Uist,
in gowden Lawland letters, skinklin atweesh
*Black Beauty* an *Kidnapped*.

Ilkane o thaim skyrie an strynge,
gleg lads in flannels, nae sharn o kye on thair knees,
nae puirtith nor shame, nor English, tae wyce thaim,
tae wyte thaim.

For thon wes the lads o the Empire,
the lassies wi pownies, the Fower Marys
ne'er wauchlin nor waff.

My ain fowk wesna like thaim:
thay war perfit heroes

at I wad come til at dayligaun
in my ain mantin leid,
like Nicodemus or Blinn Pew gaun tap-tap-tap.

Long John Silver wes heich an frichtsome,
but aneth the licht o the tilley
I cam creepin ower an saw his gowden map spreid out
on the buird.

*X marks the spot*,
he wes rounin, pensefu-like,
an the liefest o aa things ablow the heivens
steekit thare in a kist.

# Peat-Wirds

Comin doun in a plane tae Balivanich
ye see scarts o peat-hags, hirstie amang the heather.

My wife aside me, our bairn at her breist
lik a trout 'tweesh loch an bank.

Doun we're comin tae the grunn
as gin 't war the grunn comin up til's, wi nae wyte gien.

An drivin, as ayeweys, south
thare naethin the wey it wes.

As gin it wes ne'er as it wes,
in the blenk o an ee, in a glisk, gane throu'ther.

An the peat-hags hauds tae me, follas me,
athort the metaphors o daith,

cryin hou yince thae mosses wes rowthie,
beirin thair hunners o thousans

afore the auld fowk pit by thair spads,
an afore the peat-airons roustit,

leain the peat-hags fluidit lik Gaelic,
eldin naebody wants in a gleg warld o electronics.

# Airmail Letters

I never kent whit thair names war,
the aunties at mairriet Canadians
but ilka year at Yuil
skyrie letters wad come.

An we'd gang an goam at the Atlas,
at thon muckle sklyter o green
tweesh Edmonton an Ontario.

An syne we'd gang an get tracin paper
an tak my faither's wee pencil-scrunt, an draw
a line gaun richt throu Calgary an Winnipeg an Quebec
an richt athort the Atlantic tae our ain hous

straucht

like the wey thay gaed, on the lang vaigins
wi thair boxes
by the wey o Lochboisdale or Liverpuil or Lunnon.

An ither airmail letters thare wes forbye,
frae Ian in Sydney
or Shona in Johannesburg
no sae kenspeckle, thon yins,
stappit ahint the Westclox, abuin the fire.

Draems
an howps
o the new warld,
the Rio Grande, the Transvaal, an the Niagara Faas
whaur Seòras Chaluim Sheòrais, the tale wad hae't,
stuid goamin at Blondin
lowpin wan-leggit athort eternitie.

An the freins at ne'er gaed awa -
the aunties an uncles wi plenty o names -
stuid at the enns o thair houses
hingin in an tholin,
sypin, forfochen in thair ile-skins
bidin on the tatties
an the weather forecast on the wireless:
Force 8, for ordinar, "imminent", comin frae
Malin Heid.

# The Tree

1.

Thare ye staun forenenst me, tirr't
this new year's Janwar,
like me the day we met,
ne'er a leaf left tae me
an the brainches streikit
naukit 'tweesh lair an lift.

2.

Bou'd
in Februar
for pruif o the auld speil:
the mair the wunn blew
the mair ye claucht on tae me
like leams o the sun
burnin aff my coat.

3.

Efterhins it wes
ye telt me the truith
hou ye never saw nocht
but the glacks atweesh the leafs,
tuim howes at cleeks the licht,
the dancin-flair o the sun 'tweesh the yird an the heivens.

4.

Here I coud stert,
whit thay caa Aprile eenou,
as gin thare war nae langsynes
auld weys o measurin
at gied us ilka warld
'tweesh Fastern's Een an Beltane Bauk.

5.

Ye loe'd me in Mey
wi the bluim o your kisses -
thay cam like bog-cotton, licht
on the wunn, an the miracle wes
I brousl't thaim na
in my kittle.

6.

In the ying month o our luve we war than,
thon eternitie
wi naethin tae pyne ye
wantin her, as thare nae pynin
o God wi daith
nor o snaw wi warmth.

7.
The key tae the door.
An I cam out,
Or you gaed in.
Or you cam out
an I gaed in.
Or we met on the thrashel stane.

8.
An thare we liggit
breist tae breist
hoch tae hoch
in Lammas tide, the bere-hairst muin
roun, gowden an fou
abuin us.

9.
In September
crynes the trees, fowk says.
The leafs gaes sweelin awa,
the fruit faas doun in the wunn.
Whit wunnerfae, hairst, is it no,
wi aathin ripe an rosie an reid?

10.
An in the month
o the rinnin o deer, luik tae us up on the braes,
me wi the antlers
an you like the dentie wee fawn
gleg-airtit
at Duncan Ban MacIntyre sang o!

11.
Hallowmass,
Aa Sauls' Day
an ilka tree in the wuid
greetin.  Luik tae the tears,
teemin doun the face o the Cuillin,
drounin the Minch.

12.
December,
bareheid an frost,
North Wunn, cauld an scowe,
an the twa o's in a wample forenenst the fire,
nits knackin,
fruit on brainches.

# Atweesh

Atweesh twa warlds
the keekin-gless an the sun.

Pit a gless tae the sun
an ye'll burn the gress.

Pit a gless tae the sun
an gin ye trou Hammond Innes
ye'll wairnish the saikless
the reivers is comin.

Tho it coud be the ither wey roun,
gin ye'd hae 't tae be sae.

Yoursel, my jo, ye're like a sun
hainin me in life.

An you, my jo, ye're like a gless
wilin me tae Wonderland
whaur aathing's a skimmerin scog,
like the aiples o the tree,
an your thies like a swan as it sooms.

Atweesh the sun an the gless,
atweesh the luve an the sin,
see hou short the gait is.

See hou bonnie the gairden is,
an you muivin amang the roses,
your lang linkin lockerin hair
haikin me in tae the gless o kisses.

# On Heiven's Machar

*Til the memore o Iain Sheonaidh*

Thay're aye stookin the hey
in Heiven, as aye thay war.

I dinna see ony clarsachs,
or ony wings but this:

the parks thick-thrang
wi weimen rakin, an men

on the taps o the stooks
singin pipe-sangs

on a Lammas day, a day o hairst
ayebidin.

# The Race

Fast tho I rin
thare aye thon scog
thare at my shouther -
my faither's daith.

In the howe o the nicht
I wauk
an staun at the winnock
an see
time gaun daunerin by
like a starnie faa'n throu the lift.

At the turn o the day
in the mids o a meetin
or the mids o my denner,
I hear the ambulance
gangin, gangin,
an me inowre it haudin your haun

as gin ye coud haud your grip on life
duntin awa, dunt efter dunt
efter dunt.

# Heirskip

Ne'er will thon time win back:
tae heir lik a craig
an ripe lik the corn on the machar

asteir in the wunn.  Thay're gane
like ickers o bere wi the skiff o the clook o a bird

whummlin doun in slaw-motion ontae the yird
lik yin o thon divers
gaun first wi a heich-spangin lowp, hauns cleekit
aroun his knees,

syne hennerin
heels-ower-heid again an again an again
lik an airra o siller, intae the watter
nerra, hyne-awa, thin an deep

as they gaed, slaw-motion
at first, but syne faster an faster

tae the opposite airt, like rockets tovin tae space,
like Armstrong winnin awa tae the muin,

clean out o sicht,

the stuir on his buits in a lab in Texas
wittins o the miracle.

# Banes o Leids

Thousans o thaim here, deid
in Glen Ezekiel, dumb
athout wirds, athout verbs,
athout speak, athout adjectives,
the Greek o Homer,
the Laitin o Caesar,
the English o Chaucer,
the leids, big an smaa, o the Aztecs,
o the Inuit, the Navaho,
the Sioux, the Cherokee,
the Gaelic o the Dean o Lismore.

An in the quaet I hard this hymn:

"Lord, help me nou my need is sair,
Thy grace an glore tuim doun,
For in the drouchtit, hirstie wast
My leid for daith is boun.

An as in gryte Ezekiel's days
It's no jist brawn we need:
It's no jist skin nor e'en jist lyre
But braith, spreit, hert indeed.

Thon thousans deid, whit's left thaim here,
Thir glens an braes amang?
The birsl't wirds, the speak gane dumb,
An merghless nou the sang?

An aa the Empires at cam ower 's,
An aa at brocht us daith,
Nou glentin wi the Prophet's een -
Can thon banes finn Life's braith?

An e'en gin lyre an sinnens cam
An sleekit skin suid kythe,
An bane til bane thegither cleek,
'T war nae affcome o life.

Wiout the leivin braith o God
Nae corp wad steir, no yin:
Thon thousans leivin, ayeweys deid,
Thare lay, o speirit tuim.

But whan the Lord gied furth His braith,
As yin thay raise up thare,
Thon leids in thousans, in the mouls,
Lows'd leivin frae thair lair.

Gin Freedom fail, nae leid can be,
Nae life, gin speirit's flee'd;
Gin nae fowk leivin speak furth wirds
As suir as daith, she's deid."

# Aik an Hinney

Thare wes aince a time I wad gie excuises
for ill.

I wadna gie it a name
as ye wadna name the Deil
for fear the leid wad gie him life.

As gin wirds war enchantments
caain things tae life, as thay dae.

For in the beginnin wes the Wird …

but I'm no feart eenou,
for I hae seen the aik-tree
greetin bluid, an the sweetest sap
sourin afore my een
in the name o Israel the Keing.

An nou my ettle's tae brak the hardest o things,
as luve braks the hert
an a name braks the cantrip.

Insteid o aik, plant rowan,
insteid o text, context,

for whan we war ower in Paradise
aathin wes made o hinney.

An thare I mouten'd awa
in the river o your corp
like hinney moutenin on toast.

# Morocco

The lang braid French streets
o Casablanca -
thon's whit I myn o the best,
thon an the blaik, slae-blaik,
o her een.

We gaed tae see a pictur
at wes *dubbed:*
Elvis Presley bletherin in twa leids
as gin he wes French,
an the gusty yoam o roastin chessies
fullin the pictur-hous wi nae ruif til't
but the starns.

Thare wes nae thocht in our heids
at anither blaik-an-white pictur
wes in the makin, wad tirr *Heartbreak Hotel*
doun frae the screen an pit up a truith,
coorser nor fiction, afore our een,
at we wadna need a *dub* tae unnerstaun.

# A Raik tae the Letter-box

Oh, whit swippert the muin gaed breengin!

Southlins ablow the clouds
past Barra leamin in the sea,

and deil a bit did we ken
at hus it wes at wes vaigin lik the skiffs

norlins ayebidinlie,

Galileo abuin Garrynamonie
an Copernicus
heich in the lift

an the wast wunn waffin the electric wires

an the letter gaun hurlin out o sicht.

# Traffick

It's no as gin he wesna a merchan, my granda.

Wi nae television,
no even a wireless nor an internet,
his ploys war gemms frae the Middle Ages:
his auld cley cuttie, huntin, gaun tae the Mod.

Or ense,
a generaution ahint,
my fore-granda,
richt tae the day he wes fleimit tae Manitoba,
at the kelp, or sodgerin, or diein
on the wey tae Culloden.

Nifferin in the wastage
the hunter-getherers' een wes bleerit
wi wuiden spears, an my ain een's bleerit the same
wi the grue o the news, ilka speil o't, the warld tae
    smiddrins,
jist like my ain text-leid
as I brizz my twasome o fummlin thoums

ettlin

tae twine
*re-ply* an *de-lete.*

# Licht an Libertie

Langsyne they bade in the riggs an the sheuchs,
the dubs an the howes,
the muirs an the mosses:
Niall Sgrob at the heid o the host!
Crògaire-Fraigh shakin the waa!
Màrtainn nan Corc pittin saut tae the gaigit feet!

Och, och, an och again!

"Tak tent, my lad,
whan ye gang by Lochnell,
at ye dinna get claucht frae Big Dougie!"
a ghaistie as gash an grugous as ony in Uist.

Tak tent o the mirk
an the scogs
an the peerie wee wheeskin souns
at 'll pit the fear o daith intae ye
in the mids o the nicht,
an the steirins doun in the laich room
an the skirl o the wunn on a cauld forenicht in winter,
an the chappin at comes unkent, unsocht, unwairnish't,
rat-a-tat-tat on the winnock, the door, the bed-lid.

Hark tae the mice,
hark tae the kye rowtin,
hark tae the horses nicherin,
hark tae French Penny aye greetin in Ormacleit,
an lyart Alan liggin on Shirramuir: thare wes a cause.

But!

The Hydro-Electric cam,
an the wireless an television:
"See thon!  The Auld Firm!  In colour!
See thon!  Armstrong lowpin on the Muin!
Hark tae thon!  Iain Pheadair on the wireless!
Blaik, blaik, blaik carles, blaik carles on the ben!"

An the licht
wi the ae straik
pit out the ghaists.

An the soun
wi the ae straik
pit out the bogles an banshees.

Wheech!  Awa wi ye!
At the press o a switch!

An thare wes licht!

An in jist a wee while, in the licht,
again thay kyth't, the unco bogles,
out the verra machine hed gien us our freedom,

faain lik fireflaucht doun frae the lift
richt intae our chaumers
jist like the tales o langsyne.

# Teenager o the 60s

I'll tell ye whit Gaelic wes aa about,
said he:
baests' shite an ileskins,
cou-sharn an sair dargin,
langsome, ennless Sawbaths an lichtliein
o the diein leid.

But on the ither haun,
said he,
the cheils wad win hame frae Singers,
we hed the Glesga Fair an
the Askernish Games,
Tam Paxton an Wuidie Guthrie,
Jimmy Hendrix an Mick Jagger,

an - in amang the kintra muisic - Lulu
gaun boom-
bang-a-bang-bang
aa the time.

Makin a choice,
said he,
atweesh blaik sypin wellies
an Dusty Springfield's
lang bare hochs
wesna that hard,

e'en in Gaelic,
said he.

# Guinness Is Guid for Ye

Amang aa the lies
nailed doun
guid an siccar
intil Jock MacInnes's kist
an him liggin thare deid
lest week
wes the muckle yin:
*Guinness Is Good for You.*

I saw thon jyner yince
tuimin a dizzen pints o't doun his hause,
as gin the miracle o the Reid Sea
wes rinnin backlins.

The week afore he die'd -
his harn-pan smush't wi a barra faa'n frae heich abuin -
he wes jist efter feenishin aff
a new Bank o Ireland biggin.

An yesterday,
haudin a string
o his kist as frush as cardboard,
we humph't him past ae pub an ae bank.
An thare
in the bleeterin rain
we yirdit him,
lik God atween twa reivers.

# Nyle

Liggin in the bath
I goam at it: the roun hereditarie swelchie.

Tetherin me
on my mither's side, ye'll ken,
tae Kirstie dochter o Elspeth dochter o Peggy dochter o
     Muckle Kate
wha yince gaed sailin aa her lane
in a canoe she'd biggit hersel
atween Canna an Barra.

She wes bringin hame a poke o mael.

Throu thon sneddit pipe o maet
I souk't my mither's puirtith
jist like her swallaein
her mither's puirtith's pynin.

But here's me in the bath,
drouned in a yoamin haar:
the freithin straeberry faem (frae the Copie)
haps ower the glaur o my history.

# The Lichthous

In Scotland's gret ocean
the mirk's like a rauchan
happin the watters

an nae ither wey but the auld wey,
glowerin upwith in the howp
at a starnie or planet wull skinkle
tae witness we stull hae a diacle

an me here, traivellin swythe
on a train airtin eastlins
the Lawlands gowpin me doun
as I gar mysel trou

thare a lichthous hyne on the waa-heids
wycin me throu the skerries o daith.

An awa upwith,
in the nor-west, onless I'm mistaen,
I see Peter's Plou
an you, my jo, at the steerin o't,
feerin throu the heivens
wi the seiven starns o grace:

in the mirk, growes the licht.

# The Burnie

The rivers
gae winnlin throu Scotland,

haudin thair ain gaits
frae ilka ben tae the ocean,

an whitten a ferlie
this peerie-wee burnie

frozent throu five hunner winters

nou trinklin

in mauger o aa this bangsome heat
at hes made o the warld a wastage.

We hae need o ilka drap o watter
afore it turns tae saut.

# Brig ower Grumlie Watter

*A Gaelic Yuiltide version, grunnit on the splendant sang o Simon &
Garfunkel, at I wrocht for the kirk in Skye. At ither times o the year it
war eith tae pit ither wirds til't, the likes o "Whan Simmer comes, an
warm sunschene, an aa the warld's blae an green, at Johnsmass tide"
(or "in blythesome days"). As gin ye'd say, ony time's the time tae gie
your hert tae Christ: it's aye hairst in Heiven, as John Donne said!*

Whan Yuiltide comes
An snaw faas lourd
An aa the warld's white an dour
An winter's here … O …
Nou thon's the time … O thon's the time
Tae gie tae Christ your hert.

He's like a brig frae the yird tae Heiven
Frae the yird tae Heiven,
Like a brig frae the yird tae Heiven
Frae the yird tae Heiven.

Whan ye're cuissen doun
An tired tae daith,
An aathing seems tae dae ye skaith
Cruin Him a prayer …
Nou thon's the time … O thon's the time
Tae gie tae Christ your hert.

He's like a brig frae the yird tae Heiven …

It is the Christ o Cal-va-ry
Wes born tae hus:
His time hes come,
It is the God o Glore come doun amang's:
Gove on his glore ... O gove on his glore ...
God o the Heichts is wi's.

Like a brig frae oursels tae Heiven
Christ hes liggit doun:
Like a brig frae oursels tae Heiven
Christ hes risen up:
Risen up!

# Comin an Gaun

Thare no a thing
my wee laddie likes better
nor things at comes an gaes:
the boat sailin on the sea,
the train gaun awa out the station,
the plane gaun up tae the lift.

He still hesna wan till
the waitin-room o quaet,
an I haena wan till't either,
aye stravaigin the warld,
wanrestfu, atween the twa Uists:

mynins at comes an gaes
an fantasie spirin up tae the lift,
an me staunin here, auld-ying,
drivin the train
throu the tunnel wi an unco skreich,

*choo-choo*

tae the jinkin o the licht.

# Rhythm an Verse

In eild, I've wan tae verse again,
Tae sang wi aa its pace an pouer;
The straiks at wiles us back tae ease
Whan pyne or dreid or tribbles lour.

The wardle's bruckle swickerie
Wi rhyme for rither, steive maun bide;
E'en whan in thon new apen scaff
Wi jist ae oar we sail the tide.

Nae cause I'd hae tae screive my rhymes,
Nor shape tae verse or sang my leid,
Binna I trou'd thay'd muive ye still,
An inch jist frae the mairch o deid.

For like a dowie, pynit saul
Tholin his hert-sairs on the yird,
Little thare wes at help't me mair
Nor luve's ain sang an luve's ain wird.

The Gaelic's liggin, gey faur throu,
On 's bed o daith in sair an pyne:
Nae outlan cheil it is at drees,
But faither, mither, bairn o mine.

It's no a dumb an tungless leid,
Nae deid an wirdless heirship thon:
On Freedom an Salvation's gait
A Sang it is at airts me on.

# Bardrie

This is no the heich-gait's hure:
this is her ye never hear
but in the stane-dumb lown.

Her ye never hear
but in the blatterin scowe.

She bides atween …

atween bein an no bein, gin ye wull,
in the steid at never wes
een whan it wes, or wes for aye
een when it wesna never.

She's ower
at the back o Ben More,
jiggin wi MacCodrum
at MacAskill's waddin.
I hard her throu the nicht
in my sleep, her vyce sae dwamie,
but wha soud it be
in my heid but Owen - *Move him into the sun.*

She beenge't her heid afore Rhetoric.

The wirds renay'd tae come
except in crottles, a tale wantin a tale.

This is no the heich-gait's hure
wi her coats roun her neck,
this is her at gangs naukit,
as sainless an douce as the leam o the muin.

# Eclipse o the Sun

For five meinits
the day gaed mirkie,
like the day my faither die'd.

The sheep couried doun,
an steekit thair een;
the birdies fell dumb.

Mirk kissed mirk.

An syne an inch o glim cam blenkin
like a bairnie
out o the muin,

an the glaikit sheep gied a gant
an a chow
an the birdies sang Mozart.

A frichtsome begeck wes played on's
as gin day an nicht, a warld,
eelied awa
in the glisk
whan the sheep couried doun tae sleep
an the birdies smooled dumb: God die'd
atween twa lichts.

# Ae Tattie

Aye, it's easy eneuch for you, sittin thare in front o
    computers,
a Mace shop neist door an a Copie doun the road
an mobile phones an e-mails an faxes
an a BMX Shimano wi revoshifters an Odyssey Giry 2
    360-degree rotation
ahint the hous.

But jist myn on me
an Finlay's van comin at lang lest
about eleiven o'clock on Setterday nicht
wi deil a haet left in his van,
deil a haet, deil a hint or hair
but jist
ae neep, a punn o minch, twa tins o beans an -
listen nou - ae lucky tattie - AE Tobermory tattie -
atweesh the seiven o's.

A bite each
an awa it gaed in gret muckle moufaes
afore it got tae me: Donald Ewan CRINCH,
Mairi CRINCH, Angus CRINCH, an syne me CRINCH CRINCH
                         CRINCH CRINCH

an deil a haet left -
deil a hint or hair -
for my wee brithers an sisters,
the bonnie wee lambs, the puir wee sowls,
roarin an greetin an girnin an skraichin
cause I hed etten the *ae lucky tattie* left in South Uist,
me, the blouster, the smatchet, the skellum,
the gutsy bruit, the meangie craitur,
the grabby cheil, the scabby loun,
nae peety, nae mercy an nae bluidy uiss.

An whan aa this wes gaun on, my freins,
Nixon wes tuimin napalm ower the Vietcong weans,
Khrushchev wes whuppin fowk intae the snaw o the Gulag,
Lord Burton wes moochin the siller meent for Uist,
an Harold MacMillan wes thraipin at us we'd never had it
        so good.

Never had it so good?
Wi jist ae Tobermory Tattie?
Nae big scuil! Nae taurred roads! Nae *Sunday Post*! Nae
        Gaelic in the scuil!
Nae telly! Nae wireless! Nae electricity! Nae tap! Nae
        watter! Nae bath!
Nae siller! Nae buiks! Nae breid!
Nae phone! Nae fax! Nae e-mail!
Nae BMX Shimano wi revoshifters an Odyssey Giry 2
        360-degree rotation!

Wi deil a haet,
deil a hint or hair,
but jist the AE lucky tattie ilka week.

Ae sweet toffee tattie at connacht my teeth richt doun tae
the ruits.

Lea 'em alane, son.

Lea 'em alane, the lot o them.

# The Queen Mither
# an Iain MacLachlan

The ouk she die'd
I saw on the television
the Queen Mither's deid-kist cairri't
frae Windsor tae St James's
wi a piper at the heid
playin *The Daurk Island,*
the tuin at wes the auld wifie's favourite -
sae the commentator said onywey.

An wes he no proud, Iain,
mairchin afore the kist
amang the flouers
wi a smile
tae the fowk o Creagorry,
his winnerfae fingers jiggin on the buttons
blawin an bullerin,
dunchin an dirlin,
the weans in the Gym afore him
wi a St Bernard's, syne a Schottische,
the feet kickin up,
the lassies birlin roun,
deizy, dindeerie, deleirit, delytit.

Doun Hyde Park he heeld his gait
wi a trolley pang-fu o whisky
mynin on hou he played at my waddin
an thon time he played wi Blair Douglas on his caurie haun
an Fergie MacDonald on his richt, like a trinity
o ferlies, as gin Bach an Beethoven
an Mozart wes daein a gig or a jam session
or e'en a cèilidh thegither, aiblins in the Pollachar.

An hersel,
aulder nor Mither Teresa
an JFK
an Nelson Mandela
aa
liggin
dumb
listenin
tae the muisic

o the Hielands

waementin the deid

in the gret muckle ceity o Empire

the lest waltz caa'd

in the glisterin daw at the enn o the nicht.

# Hi-spy

Me an my wee laddie
plays at hi-spy:

"Boo!" he cries tae me
frae anint a tree,
"I funn ye!"

Jist the wey I tint ye,
in the muckle wuid,
ahint the aik-tree
at wes polish't
or I coud see my reflection
playin hi-spy wi your name in the bress.

# Bramble

I pu'd a bramble aside the road
an thocht o you again,
your lips sae reid an sweet an ripe.

Oh, gin it war jist lik thon!
insteid o the gairden ye're in
an the barmekin waa 'tweesh haun an juice.

But for aa that, dae ye myn
hou the roses an brambles
aye comes tuimin ower the waa?

The tuim glent:
Adam,
an ether-skin hung ower his hauns,
an the perfit ane cuistin aa for a niffer.

# Compass

*The Magnetic North Pole an the True North is twa things twyn't an sinnert. The true North is siccar an Magnetic North stravaigin.*

Aa the warld's compasses
louts tae the Magnetic North,
houbeit the North itsel is siccar,
like truith.

Your rosy lips,
an your hair like dilse
soupin the craig. Eastlins,
an the needle airts in natuir
Magnetic North, Magnetic North.

The twa wirds
gangin like gravity
doun tae the North, whaur I see, a bittie Nor-Eastlins,
the compass's correctin:

the Pole Star
lowein skyrie in the mirk,
as gin naethin coud be brichter
nor the ayebidin magnetism o the heivens.

# Leddy Cathcart dot com

Jist say
Bill Gates
is the new Hieland Laird.

An he's got a plan
tae full the glens wi the white sheep
o wycins.

The warld, myn,
's a clachan nou,
wi nae gairden, nae merch-dyke,
nae beginnin, nae ennin.

An dae ye think
ye can mak
a leivin on the milk o your bardrie,
frae the puir cou o the Gaelic,
crynit, cabrach, yeld?

In the blaik hous o your leid
in the blinn haar o your ballants
in the pitmirk reek o your sangs
dwaiblie wi ails ye dinna ken,
drowie wi fivver, dung wi the smit
o your wirds?

An sae,
whan I got thon e-mail frae him
speirin at me tae be his factor
weel, whit coud I dae?  An forbye, hechtin me
an Excel system aa tae mysell,
an Windaes XP whan it comes ower here
by satellite, jist like that, naethin tae pey,
a kinna lifetime guarantee like,
a kinna security o tenure like,
like whit Muckle Ron o Askernish got
frae the Leddy at plantit the trees ower at Loch Skipport:
aye, she wesna sae bad.

An I hed twa-three thingies tae think about forbye,
the wife an sax weans tae stert wi,
an my back getting bou't wi auld age,
an hou I'm no very keen tae gang tae Canada,
or darg for the Sutherlands in Broadford,
or for the University o the Hielands an Islands
or doun on the shore, an me that weariet,

an onywey, I dinna see whit hairm it'll dae
getting a computer an a colour prenter -
hae I no got three or fower o'm here aareadies,
an think o aa the chances it'll gie's:

instant information frae the internet,
your ain opeinion awa in a glisk
tae the BBC,
no tae speak o the chances for wark
tele-cottagin in ilka glen,
shearin the yowes in the forenuin an surfin the wab in
    the efternuin -
och, here, thare nae enn tae the argiements fur 't.

Sae that's me than, lads,
free wi my computer, an my ballants.

Lairds! Hout awa!
In the wee global clachan
dae ye no hear the cantie wee mehs o the lambies
comin linkin shorn frae the buchts?

# Singin Aside the River

Ae day in Mey
I liggit wi ye
on the green side o the river,
in the grushie howe
whaur the deer
wad rowt.

Your hochs
wes like swans soomin,
an your lourd, lourd, lockerin hair,
your lockers o gowd
wes wimplin aroun my shouthers.

The lift
abuin us
gaun whummlin heelster-gowdie:
blue, ye said,
bloncat, I said, blue-bloncat,
bloncat-blue …

an ae time
we jist about fell in the river …

an syne whan the sangs wes duin
we liggit a while in the lown,
our een a-leam like the sun an the muin
an your lauchter hauden for aye in my mynin
an your straeberry lips apenin again
an us singin

again an again

O I'll gang, aye I'll gang …

# Monyformity

Thare nae place I ken whaur you're no.

Whan I see a cat liggin in the sun
you're thare.  Whan I hear a skimmerin bird,
you're thare.  Whan I see a jet airtin wastlins,
you're thare.

No a river in Uist whaur you dinna soom,
no a tinglin phone at you're no on the ither enn,
no a thing, no ae thing ava, whaur you're no.

An mauger
the warld's winnerfae monyformity
I wad make a gowstie scarp o't:
ilka Amazon I wad forhou
ilka Cuillin I wad ding doun
gin thay didna limn you tae my myn,
my luve.

Like Sorley's Queen
in the Free Republic o Scotland,
I wad croun ye ant o the scarp,
I wad croun ye drap o the ocean,
I wad croun ye stuir o the yird,

the monyformity o the ae lousome ane.

# Draem

I waukent

in the hous o the Yella Park
in a kist o gless, or a kist o tosieness,
or a kist o English - whit's the difference? -

in the mids o the wuid
wi nae aiple,

waitin

on the prince (or the princess, laestweys)
o the kisses, or the trumpet

or the horn o the Fenians,

at blew ae day,

an wha wes it but my neibour Wee Erchie
gaun south
on his bike
playin his pipes:

*The Mairch o the Hen tae the Tap o the Midden,*

an I heistit mysel up on my elbuck
tae see the ferlie
gaun past in front o my een
at I hadna taen tent o ilka ither day.

# The Wattergaw

Weel, thare aa the auld things awa:
the haar, the rain, an the blatterin on-ding,
anoraks, clouds, umberellas, an wellies forbye.

"Duin an dustit",
thon sypin wat holidays in Fort William;
staunin thare drookit, huntin for shelter
frae the hailstanes, the wunn an the snaw
in the door o Woolies in Inverness or ablow
the Hielandman's Umberella in Glesga
haein tae listen tae thon minkers mairchin past
gowlin "Follow, follow, we wull folla Rangers …"

Cause here the dou come back dry tae the lann
an aathin's jist fine an dandy nou,

like South Uist whan I wes wee,
like my faither's haun at the fishin,
like my mither's haun rinnin throu my hair,
like the kisses, sae douce, o my wife,

for the Fluid wull never return, never again,
mauger o aa thon tsunamis on the television,
that faur awa, on the benmaist side o the clachan.

# Wabster

*On National Poetry Day 2004, the makars Meg Bateman, Myles
Campbell, Aonghas MacNeacail, an mysel wes speirt at tae screive a
ballant in ten meinits, live on Kenny MacIver's Gaelic radio show.
I wes gien the wird* breabadair, *at hes for the foremaist meanin o't
'wabster'.  It hes anither meanin forbye in a puckle airts, tho:
'attercap' (in Aiberdeen-awa, 'wyver').  The programme's furthgier
Kenny MacIver said at in his youthheid the saicont meanin wes the
anerly yin he kent, an whan onybody wantin the Gaelic speirt o'm
whit his faither's job wes, in course he answer't, 'An attercap!'
This pit me in myn o Kafka, and here the ballant!*

'My faither's an attercap,' he said,
like Kafka o the metamorphosin
in the bothy o daith -

Europe liggin naukit, tirr't

like a luim
wantin shuttle, wantin needles, wantin tweed,

an the luim in the wee Hieland bothy
at the back o Barvas Muir (lat's say)

waukin like a wyver,
ilka spirlie spoke streikin out
like the wings o a wunmull
birlin roun the lift
like an attercap, a god, a deil,

like a wabster,

Fruit on Brainches

"My leid hes wan tae a wyver," he said,
spinnin a bonnie wab in the stuir,
winnersome wyvin wi life's ain shuttle,

warpin the tweed o our leid on the wunn,

a lichtsome plaid on the bed o metamorphosin.

# Flingin the Stane

*"The unbearable lightness of being":* Milan Kundera.

Michelangelo
jist wheech't the wecht richt out o the stane.

I'd likit fine tae hae seen him
at the South Uist Gemms
amang the champions:
Hector Wilson thrawin the wecht
up tae the lift like a feather: heroics
set agin gravity.

Flingin Culloden heich tae the lift
like a balloon on a gowsty day.

Lichtness
tycin us, history left ahint,
an hus fleein heich, wi the gravity o stanes.

As thon ither wifie said:
*"Obedience to the force of gravity. The greatest sin":*
*Simone Weil.*

# The Pictur

*Hou the pictur bure the gree ower thair lifes*

Whan thay funn the pictur
in thair drawer
thare wes jist ae thing thay war fash't ower:
wha wes it o?

The auld bairdie
an the lass at his elbuck
goamin out at the camera
like a kinnen claucht in a torch.

A nock abuin thaim
shawin three o'clock,
an flouers skail't
on the buird aside thaim.

An the nock an the flouers wes tae folla
the pair at funn the pictur
aa thair life lang
tho thay ne'er war tae ken whas it wes.

It wes thaim,
said their oes,
whan thay funn the pictur
in the drawer, him sittin thare wi his baird
an her, aye a lassie, stuid at the caurie side,
at his elbuck.

# Creatio ex Nihilo

He likit best tae goam on naethin,
thon inch o blae wather-gleam
whaur nae cloud wes, nae spreckle,
the toun at wesna thare,
the draem at didna kythe.

Liggin in the girse,
a wuspie in his mou,
goamin up at blaeness
never-endin.

Ae time
he gaed intil his mither's chaumer
whaur the mascara an lipstick
wes liggin quaet,
but whan he liftit the pouther
it crynit tae stuir, like an aigle
spirin out o sicht.

An anither day
at the labsters
whan he bude tae rug aff a cleuk
like libbin a lamb
he saw somethin turnin tae naethin,

an wan tae a glisk o the truith:
it's jist as like tae gang the conter gait.

# The Drove Road

It's steiver
but siccarer
at lang an lest:
no for nae reason,
no athout kennin,
wittins o winter,
the drovers chaise this gait,
heich abuin the glen,
heich abuin the ocean,
throu the wuids,
ower the burns
in spate.

For this wes the gait
for girsin an beildin
tho thare never a bothy nor clachan
tae finn thare the day,
hyne awa frae fowk,
hyne awa frae help,
hyne awa frae envy,
hyne awa frae danger,

but follain an airtit peth,
a kent peth,
jist thaim an the dugs an the blaik kye,
jist thaim an the dugs an the blaik kye,
speilin up heich tae the north,
doun laich tae the aist.

whustlin (I ken) wi fear,
singin for courage,
quaet for lang whiles
wanrestie
in the gloamin, an e'en the kye
bullerin
in thair mynin, thair mangin,
for Uist hyne awa back or Faakirk hyne awa furrit,

jist like me the nicht,
hauflins Hieland, hauflins Lawland,
heich tae the north,
laich tae the aist,
burd-alane, drovin my wirds
back an furrit
in the mirk
'tweesh whustlin an singin, no kennin
whether it's marts I'm takin awa
or bouks I'm fessin hame,

herdin my bardrie,
buchtin my wirds,

jist me an my dug an my white cou,
jist me an my dug an my white cou,

jist me an my computer an my sang,

jist me an my computer an my sang.

# St Kilda

The Sons o God comin skitin doun the craigs
o thair ain leid.

Efter Culloden
the Reidcoats
wan tae St Kilda, seekin a Prince
at never wes seen in St Kilda
in kirk or on craig.

Thay goamed,
thon peerie runkl't fowk
wi thair mallimoke shuin,
at the sodgers,
as gin thay hed faa'n frae the muin,
an back the astronauts goamed,
ferliein fair at the unco craiturs.

I saw the likes o thaim lest nicht on the screen,
Bush an bin Laden heich on the scaurs o daith.

# Whan the Prince Cam Back Again tae Scotland 200?

I haurdly kent the place:
a causey tae Eriskay,
a Pairliament in Embra,
an Derby three hours doun the M1.

Aye, I cam back again: like a bogle, a gaist,
jist as I gaed awa,
sailin wastlins in the gloamin
on CalMac frae Oban tae Lochboisdale,
syne Sandy Lindsay's taxi
frae thare ower the Sound -
a meinit an a hauf it tuik -
tae the Prince's Park,
an the pub - The Politician - for a bourbon.

An frae thare
I heidit for Moydart
whaur thare wesna a single clan chief waitin
jist quaet an the pack o the deid
an my bonnie laddie
on a heich stane moniment
tae the mynin o a thousan wars
abuin Glenfinnan
an the steam train (mony a time I tuik it!)
fu o tourists breengin past like the wag o a camera.

An awa I gaed
on the bus tae Fort William at wesna thare
heidin for Embra
whaur no a leivin sowl kent me
amang the deid
at Festival time,
whaur I saw, throu lockit lozens,
the siller tassies I left,
or sae it seemed,
wi Leddy Grange on the first roun o my vaigin
in the Royal (whit a cheek thay've got!) Museum
o Scotland (an nae mair is thon onythin o thairs).

An I speil'd up the Mound
whaur I saw a chauffeur-driven limousine
at Pairliament Square (I wes aye a democrat)
waitin on the City Provost,

an I cry'd tae the cheil in the bunnet,
"One return tae Derby, please -
and make it snappy!"

An awa we gaed, gleg as the fireflaucht,
doun the M1
wi a stap at McDonald's (the braw heroes)
jist outby Carlisle
for chips
but I didna hae ony reid sauce wi 'm

an I wan tae the rounabout
whaur I wan back til the first time
an unco wae I am
at ever I harken't tae thaim,

back the wey
norlins
intae the cauld
the weet
the girns
norlins norlins norlins

whaur I stuid a lang while
hailstanes dingin doun on me
aa my lane in the quaet
goamin on thaim aa:

Clan Chattan o the Banners

Clan Gregor o the Glens

The MacPhersons o Manheid

The Farquharsons o Braemar

aa stane,
aa deid,
jist like me,
jist for me,
wi naethin in the warld
but a mortclaith
at I smuirit wi the Royal bluid o the Hielands.

# Ae Sawbath Nicht in Embra

I kiss't ye in the bleeterin rain
on a nicht o hairst in Embra,
oh bonnie Linda frae New Jersey.
Sweet the saut-saur on your lips:
ae meinit jist we huid thegither,
but thon ae meinit sae fu o howp
(howp, tho, at wesna for you nor me)
at nae on-ding coud ding doun luve.

Eenou I see ye in my dreams,
een mirk-broun an blaik hair lockerin,
dreeplin in the teemin rain
doun tae your shouthers' green tcmpin,
reid lips giein the hecht tae me
o youthheid's vauntin eternitie
wi the glamourie-word 'Boston'
souchin saft intil my lug.

Oh, America! an your sweet lips
sypin, kissin me in Embra,
the warld dingin doun on's out o the lift
thon ae Sawbath nicht in Embra.

# The Storm

*I screvit this ballant in eicht bitties no lang efter the frichtsome storm
o Janwar 2005. The simmer o the fernyear I hed gaen on the Scottish
Gaelic Bards' and Musicians' Tour o Ireland wi the piper Calum
Campbell o Benbecula, granfaither o the faimily drounit in the storms.*

1.
The sentences is riven,
ilka wird ruggit out frae the mouls,
nouns an adjectives an verbs
whumml't tapsalteerie

an the causeys we biggit is dungen tae scowes
as gin a glaikit etin hed come
an flung the stanes like us skailin pouther
on Dresden or Hiroshima
at connacht ilka cathedral an ilka bairn
ever creatit

an aathin nou sae frush,
like a body takin a pick tae the funns o his hous
sae's it shougles wi ilka waff o the wunn like a clout
wappin alang the shore, or like wirds in a clachan,
wittins at chynges the warld.

2.

I myn o Vietnam
like an Eden alowe, an dinna ye myn
thon wee naukit lassie rinnin awa, an the glames spirlin up
at her back like a juidgement on aa o's,
at gart us deval?

An nou the birds is tweetlin
amang the growthie ryce o the rain-forest
streikit atweesh Haiphong an Pnomh Penh
mauger ilka unce o napalm
sparplin daith wi naither mense nor mercy.

3.

An sae dae I myn o Calum Campbell
on a street in Dublin,
his fingers makin a lilt at hedna come
atweesh the statue o Joyce an Grafton Street
frae ilka mairch an reel atweesh
South Galway an South Uist
at heistit us up tae the lift
like the cutty-wran on the aigle's back
an the sun for aye on our shouthers:
oh whitna heat wes thare, whit heicht, whit sicht!

4.

An we tumml't tae the yird
like a bullet shotten furth frae a cheil at wesna huntin -
jist stravaigin the braes, knotless-like,
an no kennin why but jist at he hed a gun wi 'm
at gaed aff - like he didna mean it tae -
an brocht doun ilka bonniest bird in the warld,
dunchin doun frae the heivens lik stanes:
the pleep an the peesie an the muckle aigle
an the broun-spreckl't mavis an the gowden canary
jist gaun past at the time wi nae thocht o a cage
nor danger nor daith.

An whan we luikit up
the lift wes blae
an boss an tuim
as gin naethin hed ever been.

5.
Whit sentence
did I say tae ye, my jo,
the day the warld chynged?

Whitna
wird made sense?

Did
I
kiss
ye?

Wes it the tig o my tung on your lips,
or a hecht or a howp or an eimage
whummlin our warld, an us hauden ticht
here, breist tae breist an hoch tae hoch as yin,
lyre an spreit as yird an sea,
as a thousan islands wappit wi a causey
at rins an rins an rins as time rins or as daith
or luve?

6.

Whan ye fung a noun out o a sentence, whit's left?

Whan the adjectives an verbs cryne awa
an the pronouns an adverbs mout
an the prepositions crottle

like the sanns o the sea
like the machars an the houses
gaun doun

intae the sea

an scantlins is leid left ahint.  As gin ye hut
the keybuird wi nae thocht nor mense
a"^89          (-=h%r          :bwq)_;mk
liggin aa about like the muckle craigs an waur
an the skailit sparpl't smushtrie at I saw
on Grimsay causey an Iochdar machar.

7.
The etin wants gremmar
mauger aa his yammer.

In Boisdale the ither day
I saw a ferlie: a cutty-wran
staunin on an auld plou-stilt, an I ken
it wes jist the wey
the sun wes glentin throu the smirr
but it seemed as tho the birdie
wes steerin the plou
throu the sann o the machar, an I thocht I saw
a vineyaird brairdin at thair back
an the fields o bere waukent tae life,
tuimin ower wi Kerrs Pinks on the machar
o South Boisdale, an the fowk
wan hame in thair thousans - thair hunners o thousans -
lauchin, ying, bonnie, hale an fere,
as gin nae storm nor James Loch nor Sellar
nor the gantin trenches o the Somme or the *Marloch*
hed ever come tae harl thaim awa
like a herriein nicht reiver.

8.

I gether'd
the stanes
peerie an muckle an middlin
an biggit a drystane dyke o wirds.

A barmekin agin the sea,
a causey
athort storm an stour.

A sang agin the cry,
a sentence on the white,
agin the sea a hyne,
muisic agin the pyne,
sawin agin the ley,
a hooch in daith's despite.

# On the Road tae Jericho

Auld tho I wes
I tuik the gait -

an no for the want o a guid reason
ae time mair tae veisit the hame
I forhou't in the flouer o my youthheid,

an no for a faur-aff kintra
'mang swine, but tae the muckle toun,

haly, mauchty.

Seekin employment, they caa'd it:
whit wes thare in my ain toun
for a ying cheil wi bairns
but the nerraness o the bucht?

Sae aff I gaed tae Jerusalem
(or Inverness, I dinna richt myn)
an duin weel tae, tho it's me at says it -
"It's the swink at brings the siller"as the auld fowk says -
an my laddies nou weel set and my lassies
haein bairns, as the wey o't is.

An syne cam the guid news
at gart me tak the gait hame tae the island,
hou my mither's brither's oe
hed redd up the auld hous
an speirt at me tae say a blessin on't
afore the waddin foy.

An muckle it wes tae mane;
I never wan til't
efter thon fowk yokit on me aside the gait,
dingin an fungin an rinnin awa
wi whit little thare wes in my poke:

frankincense-ile tae bless the hous
an a wee spung o siller
tae stert the ying bridal pair
aff on thair gait -

but for aa I'm tirr't an hurtit
sen thon outlin sainit me,

here I am nou at the merch o the toun
the glore o the waddin-foy in my lugs
an the new sang on my tung.

# Foreword

We have been used, for some time now, to viewing Angus Peter Campbell's created worlds - visible and invisible! - through the medium of his fiction. This collection of poems provides us with a window through which we get another view of them - presented not in the language of fiction but in a language subjected in form and structure to the demands of poetry. This allows us to re-examine and re-assess them, especially those areas that are the subject of both forms, for, although the medium is not, of course, the whole message, we are clearly influenced in our apprehension of the message by the medium through which we receive it. But, quite apart from that interesting connection, there are many reasons for welcoming this publication: the poems are innovative and thought-provoking and they are rich in language and imagery. They deserve and reward careful reading.

They present salient aspects and priorities of living and surviving in the world of the contemporary Gael: interpretations of culture, community, kin and identity, of religion and of behaviour and the scope for action. The substance of that presentation seems to me to be based in experience - a knowledge of a wide range of the spaces and recesses of that convoluted world and its

# Foreword

context. We have that experience analysed and portrayed in different ways: as a source of strife and disrespect and frustration, but also as a source of pride and thankfulness. The opinions expressed are strong and consistent. They encompass a stubborn strand of moral concern - as the language they are expressed in makes manifest. The poems also portray subjects that are closer and more personal: experience of love and joy, of pain and guilt, of healing and grace.

The poet's voice reflects a modern sensibility. He takes a contemporary view of the world, but at the same time he is aware of the inescapable context of history and its influences. This awareness is reflected in the language of the poems, where strong echoes of a traditional poetic voice can be heard side by side with the modern. We see the same process with the structure of the verse, where we have a mixing of traditional and innovative forms based on disparate models. There are poems where the rhymes and rhythms of traditional Gaelic poetry are found consistently, and there are others where these traditional devices are used to highlight certain features by raising them above the general run of language, to strengthen them or to elaborate them. This mixing is mostly used to good effect and avoids the danger of disappointing the reader's (and particularly the listener's) expectations - a real danger, with the traditional Gaelic poetic structure resounding so strongly in our heads.

The poetry is generally lively and attractive and comprehensible, not too complex or obscure in its expression (though its subjects are not always simple!). A number of rhetorical devices, such as incrementation, often in the form of a list, are employed to heighten emotional tension or to develop eloquence. This gives some of the poems a powerfully dramatic tension - to the extent of giving them the character of scripts begging to be performed, or at the very least to be read aloud.

The translations are generally excellent, some good enough to stand as poems in their own right. To those unable to access the originals, and thus the core poetic value of this collection, directly, they offer an opportunity to gain some insight into its topics and ideas and, through its author's response to them, into his cultural, literary and personal priorities.

Donald MacAulay

# Contents

# Window

The window was locked with five padlocks

but since sufficient light was pouring
through all the other panes
I never bothered to unfasten
the nails and boards
through which I never saw the west

till that day I read
how St Patrick spoke with the birds,

and leaving the claw-hammer where it was,
at the ready,

I found a feather in a ditch (a tiny starling hit by a
        passing car)

and with one brush of the broken quill
the window crumbled,
the hardwood disintegrating into dust
and the locks, like a linnet, singing freedom.

# The Island

I once read a remarkable thing:
that gravity is a fiction,
just like that other story
about the Son of the High King of Ireland
and how he gained, at long last, the virgin.

There was also an Island
where an Alphabet Tree grew,
but one year
a man with an axe came
and cut the tree to earth
with one stroke,
and despite every effort and Spring
she never grew again,

and though I lay, like Newton,
for a measureless time under the tree,
the sweet apple of Gaelic never fell,
even with gravity,
on to the forehead of my skull.

I opened my eyes
and it was still there on the tree,
as if gravity had reversed,
Eve turned into a virgin,
and I the Son of the High King.

# The Echo of Words

Memory has gone on ahead
and stands at the crossroads
wearing the white wedding-shawl.

She is on the hill seeking the cattle,
she is on the machair without a scythe,
she is going northwards on the motor-bicycle that fell.

Like the sun's shadow,
she moves in front of me.

Like the echo of the rocks
she calls me.

Ahead she has gone,
like the march of thousands,
like a premonition, like a prophecy
so that I would know,
at the crossroads,

which road she took.

# Key, Door, House

1.
Here's the key for the door.

The door is unlocked
though you can't get through it without a key.

You take the key in your hand,
but you must believe it can open every door.

Don't lose the key
or you'll be locked out.

2.
You knock on the door.

It opens.

It closes behind you.

3.
Inside,
the house is filled with treasure:
old songs and new poetry.

The poems are already
all written: your work
is to find the book with your own name on the shelves
and to read the poems inside.

You can't
read them till you write them.

The key has a nib,
red ink pouring from it.

Go on.

Write.

# Gathering

I was out on the moor
gathering peat: I filled
a sack.

I was on the shore
gathering seaweed: I filled
a barrow.

I was at sea: I filled
a creel.

I filled my head with learning,
as the trenches filled with corpses.

And now here I am with a sieve
filtering it, chaff and wheat.

# The Village

There are more than ruins here,
though neither a cow nor a monk is visible.

The dividing-walls still stand
secure and strong

as if my grandfather were still alive
and needed to separate the cow

from the bull, though Bill Gates is now the Factor
and the world belongs to us all, virtually,

since we own (by credit-card) every
croft and estate we set our eyes upon.

Like Lady Cathcart dot com,
every night I fall asleep
the white sheep (the Highland Dollys)
bleat on the lawn,
useless pets, like animals without gender.

This village has the appearance of a village,
just as I have the appearance of a man.

# Harvesting the Ocean

The peat-bank has turned into an ocean,
and every spade and peat-iron sinking
beneath my feet.

The edge of the blade,
despite the long sharpening all Spring,
grips on nothing but softness and emptiness.

The iron
splashes without holding, without effect,
a wisp brushing the sea.

Was it always a virtual reality,
with the turf falling
like ashes into the bucket?

Oh, wouldn't iron be best against heather and moor
instead of peeling the water like a hopeless fool,
forever ploughing the flowing ocean?

I am drowning here trying desperately
to harvest Gaelic
from the great tide of English.

# The New Furrows

*"We write to gain the sanction of our forefathers":* Czeslaw Milosz

Because the landscape was strange,
I never noticed at first
that ploughing and planting and harvesting
were what lay before me: there was no evidence
of a horse or of a Gael or of a tractor,
at least as I knew these things,
with everything so clean and clinical -
pressing a button and going *click*
with a helmet about your ears and a multitude
of simultaneous worlds in front of you,
visual, informational, aural

till I remembered

that's how it also was in the old days
when you moved with a horse
neighing in front of you
and its huge feet squelching in the mud
and the cruppers and shoulder-straps and trace-chains
clinking and clanking

and the breath
rising mistily into the dawn,
and the coulter spreading the sand north and south
while you moved from east to west,
from west to east to west,
the apples of his haunches swimming before your eyes
till you paused

at long last, at the southernmost end of the field,
looking back over earth and ground and sand and machair,

but ahead at the invisible furrows
out of which food would emerge: as if it were that simple,

that you could grow potatoes or oats or barley
without harvesting history or hope or death,
as I sow and reap today
on this computer,
ploughing an international machair
diligently, like my father,
between the twin blades
of memory and creation.

# The Road to Heaven

In the photograph,
my father is younger than I.
A blue sea behind us,
soft grass (I remember) beneath our feet,
his hand covering my shoulders
with no notion that nothing would last but this.

It was a day in May,
for still I can hear the cuckoo
calling us deceptively into a winter
which came so suddenly as if the shutter
of the camera clicked and time froze
for him and for me now the distance
between age and youth shortening on the far side
and his hand still encircling my shoulders,
releasing me, but with an iron grip.

# My True Love

Fortune and Providence are in my fold,
marvellous is my being tonight,
with you lying beside me here
like life lying beside death;
sun lighting up the dark,
thistle glistening like a rose,
the poison withdrawn from the apple,
the miry clay turned into pure gold.

It was you who gave me reason,
it was you who gave me a berth,
it was you who gave me a course
and an anchor and port for my boat;
you are like the bog-cotton of the moor,
like the guinea of the bard in my pocket,
you are like a bird on the wing,
without fault, without blemish, without wrong.

I could not bear to consider just now
how I would be without you,
like a ship all lost in a storm,
like a vessel sinking to the very bottom;
like a child without mother or guide,
like a slave without hope or expectation,
my darling, you are my rudder,
my sail, my harbour, my world.

How pitiful the state I'd be in
if I were to lose you, my love,
my health and my heart would break
with the end of my light and day;
dawn would be like the middle of night,
laughter like the mocking of death,
my barge would be on the reefs of grief,
a sordid end to the world of songs.

But while I have living breath,
I will sing high your praise:
I will carve down in rhyme
the root of your love and care:
you followed the Skipper aboard,
you bowed at the Rock of Glory,
you accepted Christ as God,
and like a gift came the rest of the story.

# The Chief of Glengarry

Here in Sleat -
at the very heart of the Gaelic Renaissance -
they have put that devil of a man up on the wall
in his full kilt:
Colonel Alastair Ranaldson MacDonell, 15th Chief of
    Glengarry -
he who destroyed Clan Donald.

He who made a moon out of Knoydart.

He who made a desert of Glen Nevis.

And beside him,
beneath the glass of judgment,
lie the silver teething-rings his babies
used to chew when the roots came through,
while his MacInnes tenants gnawed
shells on the shore of Loch Hourn.

The portrait painted in Rome,
while he was on the Grand Tour
before his return via Versailles,
now hanging here
without power or rent or tenantry.

Alasdair of Glengarry,
today you brought weeping to my eyes.

# Words

At the time of Global Warming,
words melting.

Floods of them pouring
from the skies, the Atlantic
heaving, the two big Arctics
rising up naked.

We gave no honour to the word
and he melted in front of us: we
removed his bonnet of poetry and
coat of song, till at last
he stood there right in front of us,
head bowed, in his underwear.

We were the ones ashamed.

We then noticed how warm it was
just before we drowned.

And while we were sinking
we played some music: Joni Mitchell
with *Chelsea Morning*, and she too,
just like the other bardess,
brought weeping to our eyes.

# Fairies

Freud and Auschwitz
were in the knoll of the night
but there's no evidence
that the daylight has released them

with electronic texts
spreading the new tales
that it was Osama bin Laden
who stole our freedom, like the devil.

# Riddles

The small rhymes
turned into riddles
somewhere along the way.

Somewhere between
the school and my old age
the hen got lost:
lift, lift, lift, lift,
lift the thing I dropped,

but when I looked behind,
the words were fragmented
like a broken egg:
a small child will lift it in its hand,
but two dozen men can't raise it with a rope.

The riddles constantly magnify:
they have swamped past and future,
they have swallowed the village and its shadow
(English and TV)
like the whale which swallowed Jonah:
it was born without a soul,
died without a soul,
yet contained a soul.

# Codes

How near I am to a new code:
the code of age.

The rest of the codes
are tied around me
like a cat's wool: my childhood
wrapped round my legs,
and that new code I found at university
tight about my head, and my heart
bursting with Christ's code,

and those other ones
I can never untangle:
how everlasting Uist is
even though the world has disintegrated
(or because …)

And now this new puzzle on the horizon:
a plastic card for free travel,
the young looking on me as an old man,
the folding in like a child.

O Lord, give me the strength of your code:
that it would be, despite the premonition,
as miraculous as all the rest.

# The Gaelic Poetry Tinker

Climbing the brae,
clinking and clanking,
my pots and pans,
my pegs and pins,
my canvas tent
on my shoulders

fully aware that I'm lost
in an age
that's gone

with not a living soul wanting
my rubbish,
my shreds,
my rags
of coloured tin
that are used
only in real emergencies
when the electricity fails and you need to put a pot on the
    open fire
or
when the washing-machine or drier break
down and you need to hang your drawers on a tree
or
when the world is completely falling apart with the Twin
    Towers

and you clutch the Lucky White Heather which I gave
    you anyway
free of charge
as a gift
without asking for it,
without thanks.

And descending the brae
on the far side,
after a smoke
and drawing breath
and a wee sleep
and making a poem
and singing a song
and rising from the dead,

I see the city below me,
with no evidence that they've any need of me:
every house neat with a satellite-dish,
without a single peat-fire,
without a clothes-line in sight,
without a horse, or cow, or mule, or donkey,
and my things so terribly old-fashioned,
a caveman in a digital world.

But since I've risen from the dead,
I might as well believe,
and since I've come such a long way
I might as well call out:
"Alexander MacDonald!
William Ross!
Dante!

"Alexander MacDonald!
William Ross!
Dante!"

And not a soul moves,
the dishes pregnant with Man U.

But I'll shout again:
"Pans!
New pans!
Victorious pans!
Ecstatic pans!
Bell-like pans!
Proud pans!
Sparkling pans!
Brown-red pans!"

and one back door opens.
and a small bent old man keeks out
from memory

and over there a young woman unlatches a window
and leans out
listening

and there's a child on the edge of the street

and a painter high on a ladder

and a nurse sets down her bag

and one after another
doors open
and old women stand beckoning

remembering rags of songs that need mending

and pots of broken poetry gone rusty,

and shreds of Gaelic lying around,

and rhymes and rhythms and verses going to ruin

in the lofts of the mind,
in the cellars of the spirit,
in the dark recesses of the brain,
in the cupboard of the heart,
under the bed of history,
in the dark lobby of the imagination,
in the patio-lounge of the televisual life

rusting

broken

bruised

and I stay there for a whole day, or week, or year -
for an endless eternity
with the threads of poetry,
the dishcloths of verse,
the pins of song,
the clothes-pegs of rhymes
in the canvas tent of Gaelic

on the edge of the city,
welding and mending
with the claw-hammer of words,
with the wedges of language,
with the file of wisdom,
with the chisel of story,
with the nails of truth,

hammering on the anvil of the tinker
who was neither wanted nor needed,
until death came.

# Milky Way

In the vast galaxies
look at that tiny star: Litvinenko
poisoned in London
and the small prayer rising like a flare.

Don't you think it was a complete world which vanished
        there,
when I saw the shooting star last night
falling at immeasurable speed down into the west?

And my words
shining in the darkness, visible
despite the speed of light: the one earth
we have, merciful beneath my feet,
and the Milky Way open wide above us.

# K.C. Craig in Snaoiseabhal

Uist like heaven,
like an ocean, like the sands of the sea,
like a forest, like a sheepfold,
like an angel, like a story,
like a proverb, like an assertion,
like a saying, like Màiri
the daughter of Alasdair the son of Donald
the son of Donald the son of John, singing
a waulking song eternally
in every country that every existed:
Bechuanaland, the Union of Soviet Socialist Republics,
Persia - think of the old men there
standing in the fields, with a hoe
or a rake or a spade, and the old women,
in some Snaoiseabhal of Africa, winnowing:

        hù gò               hù gò
        hao ri ho hò      hù gò

woman yonder           on the edge of the shore
turn your leg towards me,    give me your hand

across centuries
across languages
across the causeway of death,
between Snaoiseabhal and the world,
like Tollund Man
like Wolfe Tone
like *Yeshua* turning into *Christ*

and we, as strangers, as foreigners,
as visitors, as scholars,
as poets, as sons, as daughters,
as inheritors between knowledge and ignorance and
        memory,
visiting and standing dumb

before the cave
or grave

of the big words modest meagre mischievous massive
        mettlesome mottled
gnawed gnarled visionary focused alluring alive enticing
        despairing delicate

in her breast,

on her lips,

falling into his ears, his head, his heart,
into his veins down to the fingertips
recording the song I sang by myself
the day after:

                ò hoireann ò         difficult is the ascent
                ì hoireann ò         difficult is the ascent
                ò horeann ò          difficult is the ascent

Heavy and wearisome it is to me,
Far distant is the vision I see -
I see Rum and Eigg and Islay,
The Isle of Muck and the Low Island.

I see Uist of the generous men
Where they celebrate Michaelmas,
Horses being released, tankards being filled,
The New Year will come with bad weather,
And the sailor will go to his endeavour
On the big ship of the straight masts,
Going on a voyage to the Indies
Where they would get the silks.
It's a pity I would not get as I desired -
The Sound of Uist to be a green meadow
And a high road right through it.
A horseman would come to me on it
On a well-shod reined saddled horse.

The seed of the word in bloom
where there was no expectation of it:
on this well-shod reined saddled horse,
the Microsoft Word 2000
which planted this, on the gallop:

    fa liu o ho
    ho ao ri o ho ho ao o ho
    fa liu o ho

where nothing existed - nothing at all -
before there came
    hù gò.

# In the Seaweed

They used to say
that it was a large bottle of Black Label
that Big Dougie had hidden
in the seaweed.

You would see him on a winter's morning,
carrying a huge load on his trailer,
his paraffin pipe
preceding him like an angel,
and when he stopped for a moment on the hill,
"Aha!" the people would say.

My dear Dougie,
what did you have hidden
in the peat-sack which you bore
on your bent back from dawn till dusk?

And what was hidden
in the scratch of machair
where you were on your knees
all spring and summer,
and in the haystacks
and under the manure
and in the cornstacks of grey autumn,
barren despite your great labour?

Injustice,
Big Dougie,
and hardship and deprivation:
that which you harvested every day,
the Black Label of poverty.

# The Poem

She died last night,
in her sleep, though no-one
noticed.

I never noticed myself
until I walked past her
bothy today,
and the curtains closed
and the dog dumb at the door,
following me with his eyes.

The old men used to say
she was a terrific singer!
Diamond pendants
shining in her ears
and the voice rising to the heavens
like a rainbow.

She carried the village's history
in her throat like an orchestra.

Canada was in her voice,
and the pride of youth
and the nobility of old age,
and (over and above all that) she was funny!
The time Big Alasdair lost
his horse ..!

But she passed away silently
during the night,
while we all slept.

And all we have left
is the chorus.

# Stòras Uibhist
# ('The Wealth of Uist')

*A few verses in traditional style I wrote on request for the people of South Uist, who've finally bought the land for the community. The community buy-out company is called Stòras Uibhist - 'Stòras' is a hard word to translate, incorporating, according to Dwelly's famous dictionary, 'store', 'wealth', 'riches', 'treasure', 'money', 'plenty', 'abundance'. In other words, the people of South Uist now own the entire resources of South Uist.*

Sweet Uist of the songs,
listen to the poetry of our lips,
our freedom has dawned,
our machairs belong to us.
Ben More in all its height
now a symbol
that she belongs to the place,
and the place to us all -
        he-hò-rò, what a day,
        our wealth is ours!

The wealth of the place
is not just the machairs of Uist;
the best wealth
is not what the eye sees -
it is not just the land
which you now own
but history and song
and the poems of the people -
        he-hò-rò, what a day,
        our wealth is ours!

There was a time, friends,
when it all belonged
to Lady Cathcart
and John Gordon of Cluny;
and there was a better time,
under Clanranald of the bards,
but then came eviction and violence,
and poverty and dispossession -
        he-hò-rò, what a day,
        our wealth is ours!

But a new time is on the horizon,
and the morning has broken,
to you now belongs
Uist of the Bards:
make a poem of it, a song,
and also a pibroch -
make a dance of it, and a prayer:
        my thousand blessings on Uist!

# The Celebration

The piper marching ahead,
though no one listens to his music:
everyone dazzled by the colours of the kilt
and the tune rising into the ether.

The wedding is sealed
and everyone well pleased: confetti
and the noise of cameras and the sun shining
gold.

An old widow outside the railings
praying every blessing on the newly-weds:
the most beautiful one in the whole world
watching time joyfully forsaking her.

# The New World

This is now the new world
on our own doorstep:
no need for a *Metagama*
or white handkerchiefs on the quay

for the ceilidh on the prairie
is now in all our little rooms.

Instead
of our
going to America,
America
comes to us.

Emigration gone out of fashion,
eviction turned foreign,
the BlackBerry in my palm
and Springsteen in my ears.

# Treasure Island

Shining,
like Alvar Liddell's voice on wintry nights in Uist
in gold foreign lettering, glittering between *Black Beauty*
and *Kidnapped.*

They were all glimmering, marvellous:
able boys wearing flannels, without cow-shit on their knees,
without poverty or shame, or English, enticing
or condemning them.

For they were the boys of Empire,
the pony girls, the Four Marys
who were neither clumsy nor weak.

They were not like my people
but perfect heroes

while I crept towards them at twilight
in my own stuttering tongue,
like Nicodemus or Blind Pew going tap-tap-tap.

Long John Silver was tall and fearsome,
but under the light of the Tilley
I crawled over and saw his gold map spread on the table.

*X marks the spot*
he was whispering wishfully,
with the most precious thing under heaven
locked buried beneath the earth.

# The Peat-Banks of Language

Coming in by plane to Balivanich,
you can see the scars of the old peat-banks
like stretchmarks in the heather.

My wife sits beside me
with our child sucking her breast
like a trout between loch and bank.

And driving, as always, south,
nothing is as it was.

As it never was how it was,
in the twinkling of an eye, instantly translated.

And the peat-banks hound me, following me
across the metaphors of death,

calling that they were pregnant
wombs, which bore thousands

before the old people discarded their spades
and before the peat-irons rusted,

leaving the peat-banks flooded, like Gaelic,
a drowned fuel in a sharp electric world.

# Airmail Letters

I never knew the names
of those aunts who married Canadians
but every Christmas the striped letters
would arrive

and we would study the Atlas,
surveying the huge green sward between
Edmonton and Ontario

and then we would get tracing-paper
and my father's stubby joiner's pencil
and draw a direct line
from Calgary through Winnipeg to Quebec
across the Atlantic right to our house

in a straight road

unlike their circuitous one, on those long journeys
with their cases
via Lochboisdale or Liverpool or London.

And there would also be other airmail letters,
from John in Sydney
or from Janet in Johannesburg,
which weren't as visible,
stuck behind the Westclox, above the fire.

Dreams
and hopes
of the new world:
the Rio Grande, the Transvaal, and the Niagara Falls
where Seòras Chaluim Sheòrais, according to legend,
stood watching Blondin
leaping on one leg across eternity.

And the relatives who never left -
the aunts and uncles who had plenty of names -
stood at the ends of their houses,
sighing, or smoking,
dead tired, wet in their oilskins,
waiting for the potatoes to boil
and the weather forecast on the wireless:
Force 8, as ever, imminent,
coming in from Malin Head.

# The Tree

1.

There you are naked before me
this January,
as I was the day we met,
without a leaf
and the branches spread out
bare between the grave and the sky.

2.

Bent
in February,
as proof of the old story:
the more the wind blew,
the more you fastened to me
like sun-rays
which burned the coat off my back.

3.

It was only afterwards
you told me the truth:
that you only ever
saw the gaps between the leaves,
those empty spaces which capture the light,
the place where the sun holds heaven and earth.

4.

I could begin here,
which they now call April,
as if there were no previous times,
old ways of measuring
which gave us manifold worlds
between Shrovetide and the Ridge of Beltane.

5.

You loved me in Maytime,
with the blossom of your kisses -
they came like bog-cotton, light
on the wind, and the miracle
was that I did not crush them
in my joy.

6.

And we were in the young month of our love:
that eternity
where you can bear nothing
without her, as God
can't bear death,
or snow the heat.

7.
The key to the door.
And I emerged.
Or you entered.
Or you emerged,
and I entered.
Or we met, on the threshold.

8.
And we lay
breast to breast
thigh to thigh
in August: the barley-harvest moon
round and yellow and full
above us.

9.
In September,
the trees wither, they say.
The leaves blow,
the fruit falls in the wind.
How marvellous the harvest-time,
everything ripe and rusty and red.

10.
And in the month
of rutting, look at us on the high hills:
me with the horns
and you like the sweet little hind
sniffing the wind,
as sung by Duncan of the Songs.

11.
November:
All Souls' Day
and every tree in the forest
weeping. See the tears
pouring down the face of the Cuillin,
drowning the Minch.

12.
December.
Bareness and frost.
North wind, cold and storm.
And us entwined in front of the fire,
the nuts cracking,
fruit on branches.

# Between

Between two worlds,
the mirror and the sun.

Put a glass to the sun
and you'll burn the grass.

Put a mirror to the sun
and, if you believe Hammond Innes,
you'll flash-warn the innocents
that the pirates are coming,

though it could be the other way round
according to your desire.

You, my darling, are like a sun
keeping me alive.

And you, my dear, are like a mirror
enticing me to the Hall of Marvels,
where everything is a shining shadow,
like the apples of the tree,
and your thighs like a swan swimming.

Between love and the mirror,
between the sun and the sin,
see how short the distance.

See how beautiful the garden is.
and you moving amidst the roses,
your long flowing curly hair
drawing me into the mirror of glass.

# On Heaven's Machair

*In memory of Iain Sheonaidh*

They are forever making haystacks
in Heaven, just as they always were.

I can't see a harp
or wings but this:

the fields overflowing
with women raking, and the men

on top of the haystacks,
singing pipe-songs

on an autumn day, a harvest-day
without end.

# The Race

No matter how fast I run,
that shadow
is always at my shoulder -
the death of my father.

In the middle of the night,
I wake
and stand by the window
and see
time travelling by,
like a star falling through the sky.

At midday,
in the middle of a meeting
or in the middle of my lunch,
I hear the ambulance
going and going
and I inside holding your hand

as if you could keep hold of life
thumping past, beat after beat
after beat.

# Heredity

That time will never return:
heredity like a rock,
ripe like the machair corn

blowing in the wind. They have gone,
like the ears of barley at the touch of a bird's foot,

falling in slow-motion to earth
like one of those divers
who leaps high at first, his hands folded
about his knees

before he turns
somersaulting again and again and again
like a silver arrow down into the water
slim, long, thin, deep

as they disappeared, in slow-motion
at first, but then faster and faster

in the opposite direction:
like rockets ascending into space,
like Armstrong leaving for the moon,

clean out of sight.

The dust picked up in a lab in Texas,
evidence of the miraculous.

# Language Bones

The thousands of them dead here
in Glen Ezekiel, dumb
and speechless, without a word,
without a gag, without a joke:
Homer's Greek,
Virgil's Latin,
Chaucer's English,
the major and minority languages of the Aztecs,
Inuit, Navaho,
Sioux, Cherokee,
and the Gaelic of the Dean of Lismore.

And in the silence I heard this hymn:

"O Lord, in need do help me now,
Pour down Thy grace and love,
For in the withered dry desert
My language spread in death.

And as in great Ezekiel's day,
It's not just muscles (that are) required,
Or skin and flesh,
But breath and spirit and life.

What has left the thousands here dead,
In the midst of hills and glens,
The words parched, the speech mute,
The people without pith, without strength?

Every Empire that fell on us,
Everything that brought death to us,
Now look upon like the Prophet -
Can this come (back) to life?

And though flesh and sinews came,
Though smooth skin appeared,
Though bone joined unto bone,
No life came into being.

Without the living breath of the Lord
Not one single corpse moved:
The thousands alive, but still dead,
Lying there without spirit.

But when there came the breath of God,
They all stood up,
The thousands of languages in the clay
Alive, free from the tomb.

Without freedom, there is no language,
Without spirit there is no life,
Without a living people speaking out,
She'll be dead with absolute certainty."

# Oak and Honey

There was a time when I excused evil.

I wouldn't name it,
as you wouldn't name the Devil
in case language itself gave him life.

As if words were magic,
which brought things to life, as they do.

For in the beginning was the Word …

but I'm not afraid now,
for I have seen the oak tree
weeping blood, and the sweetest sap
going rancid in front of my eyes
in the name of Israel the King.

My desire now is to break the hardest thing,
as love breaks the heart
and naming breaks the spell.

Instead of oak, plant rowan,
instead of text, context,

for when we were over in Paradise
everything was made of honey.

There, I melted
in the river of your body,
just as honey melts on toast.

# Morocco

The long wide French boulevards
of Casablanca
are what I remember most,
and how incredibly dusky
her eyes were.

We went to a film that was
dubbed:
Elvis Presley speaking with two tongues,
as if he were French,
while the sweet smell of chestnuts,
roasting, filled the cinema
with its roof of stars.

We had no notion
that a different black-and-white film
was in production, which would tear *Heartbreak Hotel*
down from the screen and run a truth even worse than
    fiction
out before our very eyes, with no need of a dub for
    understanding.

# A Journey to the Letter-box

But the speed at which the moon moved!

Southwards beneath the clouds
beyond Barra shining in the sea,

while we had no notion
that it was we ourselves who were moving

endlessly north,

Galileo above Garrynamonie
and Copernicus
in the sky

and the west wind shaking the electricity wires

and the letter falling into the darkness.

# Trade

It's not that my grandfather wasn't a merchant.

Without a telly,
or even a wireless or internet
his hobbies were medieval pastimes:
his clay pipe, hunting, going to the Mod.

Or,
a generation further back,
my great-grandfather
(just before he was evicted to Manitoba)
at the kelp, or soldiering, or dying
on the way to Culloden.

Trading in the desert,
the hunter-gatherers were blinded
by wooden spears, just as I am blinded
with the horror of every news story: the world in bits,
just like my text-language,
pressing two clumsy thumbs

in the effort

to separate
*re-ply* from *de-lete*.

# Light and Freedom

Once upon a time they dwelt
in the rigs and ditches,
the pools and hollows,
the bogs and moors:
Niall Sgrob at the head of the host!
Crògaire-Fraigh shaking the wall!
Màrtainn nan Corc salting the chapped feet!

Obh, obh and obh again.

"Take care, lad,
when you pass Loch an Eilein
that Big Dougie doesn't get hold of you!":
a bogle as dangerous and ugly as there was in Uist.

Beware the darkness,
and the shadows,
and the tiny small creaking noises
that will put the fear of death into you
in the middle of the night,
and beware the stirring down the closet,
and the whistle of the wind on cold winter evenings,
and the knocking that comes without warning or asking:
rat-a-tat-tat on the window, and on the door, and on the
    wooden bedstead.

Listen to the mice,
listen to the lowing of the cows,
listen to the horses neighing,
listen to French Penelope forever weeping in Ormacleit
and grey-haired Alan lying on Sherrifmuir: there was a cause.

But!

The Hydro-Electric came,
and the radio and the telly:
"Look! Celtic against Rangers! In colour!
Look! Armstrong jumping on the moon!
Listen! Iain Pheadair on the wireless!
Dark dark dark men, dark dark dark men in the ben!"

And the light extinguished
in one go
the ghosts.

And the sound extinguished
in one go
the portents and apparitions.

Whoosh! Away you go!
At the press of a switch!

And there was light!

And in a short while, in the light,
they reappeared, the strange ghosts,
out of the very machine which had given us freedom,

falling, like fireballs, out of the skies
right into our living-rooms,
as in the olden stories.

# 60s Teenager

I'll tell you what Gaelic was about,
he said:
cowshit and oilskins,
animal dung and black-labour,
long eternal Sabbaths and condemnation
for speaking the last language.

But on the other hand,
said he,
the men would come home from Singers,
there was the Glasgow Fair and
the Askernish Games,
Tom Paxton and Woody Guthrie,
Jimi Hendrix and Mick Jagger,

and - between the country music - Lulu
going boom-
bang-a-bang-bang
all the time.

The choice,
he said,
between the wet black wellies
and Dusty's long white thighs
wasn't that difficult,

even in Gaelic,
said he.

# Guinness Is Good for You

Among the lies
nailed
with certainty into
Johnny MacInnes's coffin
as he lay there dead last week
was the big one:
*Guinness Is Good for You.*

One time I saw that joiner
pouring a dozen of these pints down his throat
as if the miracle of the Red Sea
had reversed.

The week before he died -
his skull crushed by a wheelbarrow that fell from on high -

he had just finished
a new building for the Bank of Ireland.

Yesterday,
as I bore one string
of the coffin as thin as cardboard,
we carried him past one pub and one bank,

and there,
in the pouring rain,
we put him into the earth,
like a God between two thieves.

# Belly-button

Lying in the bath,
look at it - this whirling ancestral corrie.

Connecting me,
matrilineally, of course,
to Ciorstaidh daughter of Ealasaid daughter of Peggy
      daughter of Big Catriona
who sailed once, alone,
in a canoe she'd made herself
between Canna and Uist.

She was bringing home a sack of meal.

Through the severed umbilical cord
I suckled my mother's poverty,
as she too sucked
every mother's sore grief.

And here I am in the bath,
drowned in misty fragrance:
the strawberry foam (from the Co-op)
covers the stour of my history.

# The Lighthouse

In the great ocean of Scotland
the darkness is like a cloak
covering the waters

and the only option is the old way,
to gaze up in hope
that a star or planet will blink
as evidence that there is a compass

as I travel here at speed
on a train going eastwards,
a foreign land swallowing me up,
but making myself believe

that there is a lighthouse on the horizon
which will guide me through the reefs of death.

And up there,
in the nor'-west if I'm not mistaken,
I can see the Plough
and you at the helm, my darling,
cutting through the heavens
with your seven stars of grace:

in the darkness, the light grows.

# The Little Stream

The rivers
bend through Scotland,

taking their own courses
from every height to the ocean,

and how strange
this little stream

frozen for five hundred winters

now trickling
despite this brutal heat
which has made a desert of the universe.

Every drop of water needed
before it turns into salt.

# Bridge over Troubled Water

*A Christmas Gaelic version I made based upon Simon and Garfunkel's great song, for the local church in Skye. At other times of the year you could obviously put other words, e.g "When summer comes, and heat and sun, and the world is all blue and green, in times of joy, Oh, that's the time etc …" In other words, as John Donne once said in a sermon, it's always harvest time in heaven!*

When Christmas comes
and heavy snow,
and the world is all white and bare,
in winter-time … Oh,
that's the time … Oh, that's the time
to give your heart to Christ

Who's like a bridge from here to heaven,
between here and heaven,
who's like a bridge from here to heaven,
between us and heaven.

When you're tired and low,
when you're all broken,
when everything … is hurting you,
then pray to him …
that's the time - Oh, that's the time
to give your heart to Christ

Who's like a bridge from here to heaven,
between here and heaven,
who's like a bridge from here to heaven,
between us and heaven.

The Christ of Cal-var-y
was born for us,
his time has come,
the God of Glory has come down into our midst:
gaze on his Glory - Oh, gaze on his Glory:
the God of High incarnate

As a bridge between us and heaven
Christ has now lain down,
as a bridge between us and heaven,
Christ has risen up,
has risen up …

# Moving To and Fro

My wee boy
likes nothing better
than things moving to and fro:
the boat sailing on the ocean,
the train leaving the station,
the plane ascending into the sky.

He has not yet reached
the waiting-room of stillness,
just as I have not,
forever restlessly travelling
between the two Uists:

memory coming and going
and imagination ascending into the sky,
as I stand here, in middle age,
driving the train
through the tunnel with a loud whistle,

*choo-choo*

towards the curving light.

# Rhythm and Verse

I've returned, at my age, to the stanzas,
to the beat and power of verse,
to the strokes that give comfort to us
in our weakness, our fear, our pain.

The world is so deceptively flimsy
that we need the small steer of rhyme,
even in the new open rowing-boat
sailing every ocean with one oar.

I would have no reason to write,
to speak, to sing or make poems,
if I did not believe they could move you
an inch from the edge of death.

For as one who was dying in pain,
suffering grief on the street,
the greatest thing that helped me
were the hymns and songs of love.

Gaelic is like a patient lying
weak on her death-bed:
this is not a stranger that's suffering
but my father, my mother, my child.

It's not a language that's dumb without tongue,
it's not a heritage that's dead and without speech,
but a Poem that's gone on ahead
on the road of freedom and salvation.

# Poetry

This is not the whore of the main road,
but the one you can only hear
in the dumb silence.

The one you can only hear
in the storm.

She resides between …

between being and non-being, if you will,
in the place which never existed
even when it existed, or which always existed
when it never existed.

She resides
over behind the Big Mountain, dancing with MacCodrum
at MacAskill's Wedding. I heard her last night,
in my sleep, her voice faint,
except that it was just
Owen, in my head - *Move him into the sun.*

She was ashamed before Rhetoric.

The words refused to come
except in fragments, a tale unbound.

This is not the prostitute of the high road
with her skirts about her neck,
but one who travels naked,
as pure and chaste as the moon's light.

# Eclipse of the Sun

For five whole minutes
the day went dark,
like the day my father died.

The sheep lay down,
closing their eyes;
the birds went mute.

Black kissed black.

And then, an inch of light winked,
like a child,
out of the moon,

and the foolish sheep yawned,
chewing,
and the birds sang Mozart.

A terrible deception had taken place,
as if a night and day, a whole world,
had passed
in the twinkling
it took the sheep to lie down and sleep
and the birds to cower dumb: God died
between two lights.

# One Potato

Easy enough for you sitting there in front of computers,
a Mace shop next door and a Co-op down the road
and mobile phones and e-mails and faxes
and a BMX Shimano with revoshifters and Odyssey Giro 2
    360º rotation
in the bike-shed.

But remember me
and Finlay's van arriving at long last
about eleven p.m. on Saturday night
with nothing left in his van -
nothing at all, absolutely zilcho
except for
one turnip, one pound of mince, two tins of beans and -
listen now: *one* lucky potato - a single Tobermory Tattie
between the seven of us.

A bite each
and watch it disappear in huge greedy bites
before it reached me: Donald Ewan, CRUNCH;
Mary: CRUNCH; Angus: CRUNCH; and then me
           CRUNCH CRUNCH
           CRUNCH CRUNCH

and nothing left -
nothing at all, at all -
for my younger brothers and sisters,
the beautiful darlings, the poor souls,
crying and bawling and bleating and shouting
that *I* had eaten the one single Last Lucky Potato in
    South Uist,
the blaggard me, the rascal, the scoundrel,
the covetous beast, the gluttonous animal,
the greedy one, the scabby boy,
pitiless, useless, merciless.

And while all this was happening, folks,
Nixon was showering napalm on the Vietcong kids,
Khrushchev was still whipping them into the Gulag snow,
Lord Burton was taking the money meant for Uist,
Harold MacMillan was telling us that we'd never had it
    so good.

Never had it so good?
With one Tobermory Tattie?
Without a high school! Without tarred roads! Without a
    *Sunday Post*!
Without Gaelic in school!
Without a telly! Without a radio! Without electricity!
    Without a tap!

Without water! Without a bath!
Without money! Without books! Without bread!
Without a phone! Without a fax! Without e-mail!
Without a BMX Shimano etcetera.

Without anything at all -
anything at all -
except for *one* single solitary Lucky Potato between a
     thousand of us.

One sweet toffee potato, which rotted my teeth to the core.

Leave them alone, lad.

Leave them all alone.

# The Queen Mother and Iain MacLachlan

The week she died,
I saw on the television
the Queen Mother's coffin borne
between Windsor and St James's,
led by a piper
playing *The Dark Island*,
the old royal woman's favourite piece of music,
according to the commentator at least.

How proud Iain was,
marching in front of the coffin
through the seas of flowers,
smiling
to the people back home in Creagorry,
his marvellous fingers dancing on the buttons,
blowing and bellowing,
pushing and pulling,
the youngsters in the Balivanich Gym before him
with a St Bernard's, then a Schottische,
the feet kicking,
the girls swirling,
heady, giddy, ecstatic, free.

Down Hyde Park he headed,
with a trolley fully-laden with whisky,
remembering how he played at my wedding
and that time he played with Blair Douglas on his left
and Fergie MacDonald on his right, like a trinity
of marvels, as if Bach and Beethoven
and Mozart were doing a gig or jam session
or even a ceilidh together, let's say in the Pollachar.

And the lady herself,
older than Mother Teresa
and JFK
and Nelson Mandela
now
lying
dumb
listening

to the Gaelic music

lamenting the dead

in the great city of Empire,

the last waltz called

in the shining dawn at the end of the night.

# Hide-and-Seek

My wee boy and I
play hide-and-seek:

"Boo!" he calls to me
from behind a tree,
"I found you!"

Just as I lost you,
in the big forest,
behind the narrow oak tree
which was polished
until I could see my reflection
playing hide-and-seek in your name in the brass.

# Berry

I plucked a berry beside the road,
and thought of you once more,
your lips red and sweet and ripe.

Oh, if only it were that simple,
instead of the garden where you are,
and the high wall between hand and juice.

Do you remember, though,
how the roses and berries
always spill over the walls?

The empty shining:
Adam,
with a snakeskin hanging from his hands,

and the perfect one shedding all in exchange.

# Compass

*The Magnetic North Pole and True North are two different things.*
*True North is fixed whereas Magnetic North shifts.*

Every compass in the world
bends towards Magnetic North,
though the North itself is fixed,
like truth.

Your red lips,
and your hair like seaweed
brushing the rock. Eastwards,
and the needle naturally moves
Magnetic North, Magnetic North.

The two words
moving gravitationally,
down north, where I see a little to the nor'-east
the balancing of the compass:

The Pole Star
shining bright in the darkness,
as if nothing could be clearer
than the infinite magnetism of the heavens.

# Lady Cathcart dot com

Let's say
that Bill Gates
is now the new Highland Landlord.

And he has a plan:
to fill the glens with the white sheep
of information.

The world, let us remember,
is now a village,
without a garden, without enclosure,
without beginning or end.

And do you imagine
that you can
make a living on the milk of your poetry,
from the poor cow of Gaelic,
dried-out, withered, barren?

In the blackhouse of your language,
midst the thick mist of your poems
and the black smoke of your songs,
weak with unrecognizable diseases,
fainting with fever, sore with the blemishing
of your words?

So therefore,

when I received the e-mail from him

asking me to be his factor -

well, what else could I do? Moreover,

offering me an Excel system for myself

and Windows XP when it comes this way

by satellite, just like that, free of charge,

in a kind of lifetime guarantee,

as a kind of security of tenure

as Big Ronald of Askernish received

from the Lady who planted the trees over Loch Skipport way:

she wasn't that bad.

And I had two or three things to think about:

a wife and six kids, for example,

and the curve coming on my spine through age,

and how little desire I have to go to Canada,

or for working for Sutherlands in Broadford,

or for the University of the Highlands and Islands,

or for cutting seaweed down by the shore,

for I'm so tired,

and anyway, I can't see what harm it will do

to get a computer and a colour printer -

don't I have access to three or four here already,

and think of the opportunities it will bring:

immediate information-access on the web,
your own opinion, blogged instantly
        to the BBC,
to say nothing of the employment opportunities:
tele-cottaging in every glen -
sheep-shearing in the morning and interfacing in the
        afternoon -
och, hud, there's no end to the arguments for.

So therefore,
here I am now, folks:
at liberty with my computer, and poems.

Landlords! Phwa!
In the small village of the globe,
can't you hear the contented bleating of the lambs,
coming leaping, shorn, from the fank?

# Singing by the River

On a day in May
I lay with you
on the green side of the river,
in the verdant place
where the deer
would bellow.

Your thighs
were like swans on the swim,
and your heavy, rich, curly,
gold-yellow hair
enwrapped my shoulders.

The skies
above us
going round in somersaults,
blue, you said,
azure, said I, blueazure,
azureblue …

and one time
we almost fell into the river …

and when the songs finished
we lay for a while in the silence,
our eyes shining like sun and moon,
and your laughter still gripped in my memory,
and the dewberry of your lips opening again
and us singing,

sweetly

again and again

Oh, yes, and I will …

# Multiformity

I don't know anywhere where you are not.

When I see a cat lying in the sun,
there you are. When I hear a bird on the wing,
there you are. When I see a jet going westwards,
that's you.

There's not a river in Uist where you don't swim.
There's not a phone that rings that you're not at the other end.
There's not a single thing there is in which you're not.

And despite
the beautiful multiformity of the universe,
I would make it into solitary desert:
I would cut down every Amazon,
I would forsake every Cuillin,
if they didn't symbolize you,
my love.

Like Sorley's Queen
in the Free Republic of Scotland,
I would crown you ant of the desert,
I would crown you drop of the ocean,
I would crown you dust of the earth,

the multiformity of the one beautiful one.

# Dream

I woke

in the house of the Yellow Field,
in a glass coffin, in a drink coffin,
or in an English coffin - what difference? -

in the middle of the wood,
without an apple,

waiting

for the prince (or at least the princess)
of the kisses, or the trumpet

or horn of the Fingalians,

which blew one day,

and who was it but my neighbour Wee Archie
going southwards
on his bicycle while playing the bagpipes:

*The Hen's March to the Midden,*

and I rose on one elbow
to see the marvel
that was passing before my eyes,
which I'd never noticed every other day.

# The Rainbow

That's the old things gone, then:
the mist and the rain and the pouring torrents,
anoraks and clouds and umbrellas and even wellingtons.

Done and dusted:
those soaking wet holidays in Fort William;
standing droukit vainly seeking shelter
from the hailstones and the wind and the snow
in the door of Woolies in Inverness, or under
the Hielanman's Umbrella in Glasgow
while you had to suffer these thugs marching past
bawling, "Follow, follow, we will follow Rangers …"

for the dove has returned dry to land
and everything is just hunky-dory now,

like South Uist when I was wee,
like my father's hand at the fishing,
like my mother's hand running through my hair,
like my wife's sweet kisses,

for the flood will never come again,
despite those tsunamis on the telly,
which are so far away, on the other side of the village.

# Weaver

*On National Poetry Day 2004 the poets Meg Bateman, Myles Campbell, Aonghas MacNeacail and I were asked to write a poem in ten minutes, live on Kenny MacIver's Gaelic radio show. I was given the Gaelic word* breabadair, *which primarily means 'weaver'. However, the word also has another meaning in certain districts: 'spider'. The programme presenter, Kenny MacIver, said that when young he knew only this second meaning, and when asked by a non-Gaelic speaker what his father worked as, he naturally replied, "My father is a spider"! That reminded me of Kafka, and here is the poem.*

"My father is a spider," he said
as Kafka of the transformation
in the weaving-shed of death -

Europe lying naked, stripped

like a loom
without shuttle, without needles, without tweed,

and the loom in the small Gaelic shed -
at the back of Barvas Moor (shall we say)

waking as a spider,
each slim spoke stretching out
like the wings of a windmill
going round the skies
like a spider, like a god, like a devil,

like a weaver,

"My language has become a spider," he said,
spinning a beautiful web in the dust,
weaving wonderfully with the shuttle of life,

knitting the tweed of our language on the wind,

a light blanket on the bed of transformation.

# Throwing the Stone

*"The unbearable lightness of being"* : Milan Kundera

Michaelangelo
simply removed mass from marble.

I would have loved to have seen him
at the South Uist Games
among the champions:
Hector Wilson throwing the weight
into the air like a feather, heroism
defying gravity.

Flinging Culloden into the skies,
like a balloon on a windy day.

Lightness
drawing us, history discarded,
and we flying high, with the gravity of stones.

As the other woman said:
"Obedience to the force of gravity. The greatest sin" :
Simone Weil.

# The Photograph

When they found the photograph
in their drawer
they had only one thing in mind:
who was in it?

The old bearded one
and the young woman at his elbow
looking out into the camera
like a rabbit caught in a torch.

A clock above them
showing three o' clock,
and flowers splayed
on the table beside.

And the clock and the flowers followed
those who found the photo through their lives,
though they never discovered who was in it.

Themselves,
said their grandchildren
when they discovered the photograph
in the drawer, with him sitting there bearded,
and she, forever young, standing to his left,
at his elbow.

# Creatio ex Nihilo

He preferred to study negative space:
that inch of blue sky
where there was no cloud or speck,
the village that didn't exist,
the undreamt dream.

Lying in the grass,
a wisp in his mouth,
gazing up at endless
blueness.

One time,
he went into his mother's room,
where the mascara and the lipstick
lay at rest,
but when he picked up the powder
it turned into dust, like an eagle
going out of sight.

And another day,
at the lobsters,
when he had to tear off a claw
as you would castrate a lamb,
he saw a thing turning into nothing,

and understood a little of the truth:
that the contrary was just as likely.

# The Drove Road

It's steeper,
but more trustworthy
in the long run:
it was not without reason
or knowledge,
without knowing winter's harshness,
that the drovers choose this route,
high above the glen,
high above the ocean,
through the woods,
across the rivers
in flood.

For this way
lay grazing and shelter
though neither bothy or village
are to be seen today,
far from people,
far from aid,
far from envy,
far from danger,

but following a marked path,
a known path,
just themselves and the dogs and the black cattle,
just themselves and the dogs and the black cattle
climbing high to the north
and descending low to the east,

whistling (surely) with fear,
singing for courage,
silent for ages
uneasy
in the half-light and the cattle themselves
lowing
in their memory, in their desire,
for Uist so far behind or Falkirk so far ahead

just as I am tonight
as a half-Gael and half-Gall,
high to the north,
low to the east,
alone, droving my words
backwards and forwards
in the darkness
between whistling and singing
not knowing whether I am taking cattle to market
or returning with a carcass from market,

herding my poetry,
penning my language,

just me and my dog and my white cow,
just me and my dog and my white cow,

just me and my computer and my song,

just me and my computer and my song.

# St Kilda

God's children abseiling down the crags
on the oily ropes of their language.

Following Culloden,
the Redcoats
reached St Kilda, looking for a Prince
the St Kildans had never seen
in church or on crag.

The small wrinkled people,
in their fulmar shoes,
looked
at the soldiers
as if they'd come from the moon,
and the astronauts stared back
with amazement at the strange creatures.

I saw their reflections last night on the screen,
Bush and bin Laden on the high crags of death.

# The Prince's Return to Scotland, 200?

I barely recognized the place:
a causeway to Eriskay,
a Parliament in Edinburgh,
and Derby just three hours down the M1.

I came back as a ghoul, as a ghost -
just as I left -
in the twilight sailing west
on CalMac from Oban to Lochboisdale,
then Sandy Lindsay's taxi
from there across the Sound -
a minute and a half it took -
to the Prince's Meadow,
and the pub - The Politician - for
a bourbon.

And from there
I made for Moidart,
where not a single clan chief was waiting
but silence and the agreement of the dead
and my fair young love
on a high stone monument
in memory of a thousand wars
above Glenfinnan
while the steam-train (many's the time I was there!)
bore the tourists past like the wave of a camera.

And I travelled
on the bus to non-existent Fort William
making for Edinburgh
where not a living soul recognized me amongst the dead
at the time of the Festival,
where I saw, through sealed glass,
the silver goblets I left,
seemingly,
with Lady Grange the first time round
sitting pretty in the Royal (how dare they!) Museum
of Scotland (which doesn't belong to them either).

And I climbed the Mound,
where I saw a chauffeur-driven limousine
at Parliament Square (I was always a democrat)
waiting for the City Provost,
so I called to the guy in the hat,
"One return to Derby, please -
and make it snappy!"
and we headed off, at the speed of lightning
down the M1
stopping at McDonalds (the beautiful heroes)
just outside Carlisle
for chips
though I refused the red sauce

and I reached the roundabout
where I turned back first time round,
and more's the pity
I ever listened to them,

back
north
into the cold
and rain
and complaints
northwards ever northwards

where I stood a long time
beneath the hailstones
in the silence all by myself
looking at them all:

Clan Chattan of the Banners

Clan Gregor of the Glens

the MacPhersons of Courage

the Farquharsons of Braemar

turned all into stone,
dead,
just like me,
on my behalf,
with nothing in the world
but a shroud
I covered with the Royal blood of the Gaels.

# One Sunday night
# in Edinburgh

I kissed you in the pouring rain
on an autumn night in Edinburgh,
O lovely Linda from New Jersey:
the salt was sweet on our lips
the one minute we were together,
but that minute was full of hope
(though not especially for you or me)
that love would survive all downpours.

I see you now in my memory -
brown eyes and dark curly hair
pouring in the dripping rain
down to the fair vision of your shoulders,
and your red lips promising me
the proud eternity of youth,
with the wonderful word 'Boston'
being whispered in my ear.

O America, and your sweet lips
wet-kissing me in Edinburgh;
the world pouring on us from the heavens
one Sunday night in Edinburgh.

# The Storm

*I made this poem in eight sections shortly after the terrible storm of
January 2005. The summer before that I'd been on Cuairt nam Bàrd, the
Scottish Gaelic poets' and musicians' tour of Ireland, in the company of
one of the family tragically killed by the storm: the piper and grandfather
in the family that was drowned, Calum Campbell of Benbecula.*

1.

The sentences are torn apart,
every word torn out of the earth,
nouns and adjectives and verbs
thrown upside-down

and the causeways we built broken apart
as if a senseless giant had come
and flung the rocks as we flung powder
on Dresden or Hiroshima
which destroyed every cathedral and child
ever created

and every single thing now so fragile,
as if someone had taken a pick-axe to the foundations of
       the house
which shakes before every breath of wind
as a rag blows on the shore or words in a pub,
bits of news which alter the world.

2.

I remember Vietnam
as a burnt Eden, and do you remember
that young naked one running and the flames rising
behind her like a judgment upon us all,
which made us pause?

And now the birds are singing
in the verdant branches of the rain-forest
which stretches from Haiphong to Phnom Penh
despite every ounce of napalm
which showered death without sense or mercy.

3.

As I remember Calum Campbell
on a street in Dublin
and his fingers composing an unmade tune
between Joyce's statue and Grafton Street,
made of every march and reel between
South Galway and South Uist
which elevated us to the heavens
as if we were the wren on the back of the eagle
and the sun always on our shoulders:
what heat and height and vision!

4.

And we fell to earth

as if a bullet had come from a man who was not hunting

but was just wandering about the hill

without purpose,

without knowing why except he had a gun

which fired - as if accidentally -

and brought down every bird more lovely than all the
　　　rest in the universe,

which fell like stones out of the sky:

the oystercatcher and the peewit and the big eagle

and the speckled brown lark and the golden canary

which happened to be just flying by without any thought
　　　of cage

or danger or death.

And when we looked up

the sky was blue

and bare and empty,

as if nothing had ever been.

5.
What sentence
did I speak to you, my darling,
the day the world altered?

Which
word
made sense?

Did
I
kiss
you?

Was it the touch of my tongue on your lips,
or a promise or hope or image
which transformed our world, with us tight
here, chest to breast, thigh to thigh, as one
flesh and spirit, as earth and ocean,
as a thousand islands tied by a causeway which
runs and runs and runs, as runs time or death
or love?

6.

When you fling a noun out of a sentence, what's left?

When the adjectives and verbs decay and
when the pronouns and adverbs dissolve and
when the prefixes and cases
crumble
like the sands of the sea,
like the machairs and the houses

sinking

into the ocean

the island of language is abandoned. As if you hit
the keyboard randomly without thought or wisdom
a"^89            (-=h%r            :bwq)_;mk
lying around like the huge rocks and the seaweed
and the spread scattered flotsam I saw
on Grimsay causeway and on Iochdar machair.

7.
The giant has no grammar
despite the sound and the fury.

In Boisdale the other day
I saw a remarkable thing: a wren
standing on the handle of an old plough,
and surely it was just the way
the sun was shining through the smirr
but it was as if the bird
was driving the plough
through the machair sand, and I imagined
I saw a vineyard sprouting up in their wake
and that the barley fields became alive,
overflowing with Kerrs Pinks on the machair
of South Boisdale and the people
back in their thousands - in their hundreds of thousands -
laughing young and fair and in full health as if
no storm nor James Loch nor Sellar
nor the bottomless trenches of the Somme nor the *Marloch*
had ever happened to take them away
like a marauding pirate in the night.

8.

I gathered
the stones
small and large and middling
and made a drystane dyke of words.

A defence-wall against the sea,
a causeway
across storm and tempest.

A song against the cry,
a sentence on the white page,
a harbour against the ocean,
music against the pain,
sowing against the desert,
a shout against death.

# On the Road to Jericho

Old as I was,
I headed off -

and it's not that I didn't have good reason
to call once more on the old home
I left in the full bloom of my youth,

and not for a far country either
amongst pigs, but for the big city

holy and powerful.

Getting on your bike it was called,
with nothing doing in my home village
for a young man with kids
but the narrowness of the sheepfold.

So I made for Jerusalem
(or Inverness, I can't fully remember)
and prospered, though I say so myself -
"Out of labour comes success," as the old men would say! -
with the sons now established and the girls
bearing children, according to custom.

Then came the good news
which brought me on my journey back home to the island -
that my mother's brother's grandson
had renovated the old family home
and had asked me to come and bless the house
prior to the wedding-feast.

Fruit on Branches

And more's the pity
I never got there
following my assault by the roadside,
hit and kicked and my satchel stolen,
with the little that was in it -

frankincense-oil to bless the house
and a small purse of money to start the young couple
on their way -

but naked and sore as I am
since the stranger healed me

here I am on the outskirts of the village,
my ears already resounding to the wedding-feast
and the new song rising from my tongue.